Le Dico d'

Anglais-Français / Français-Anglais

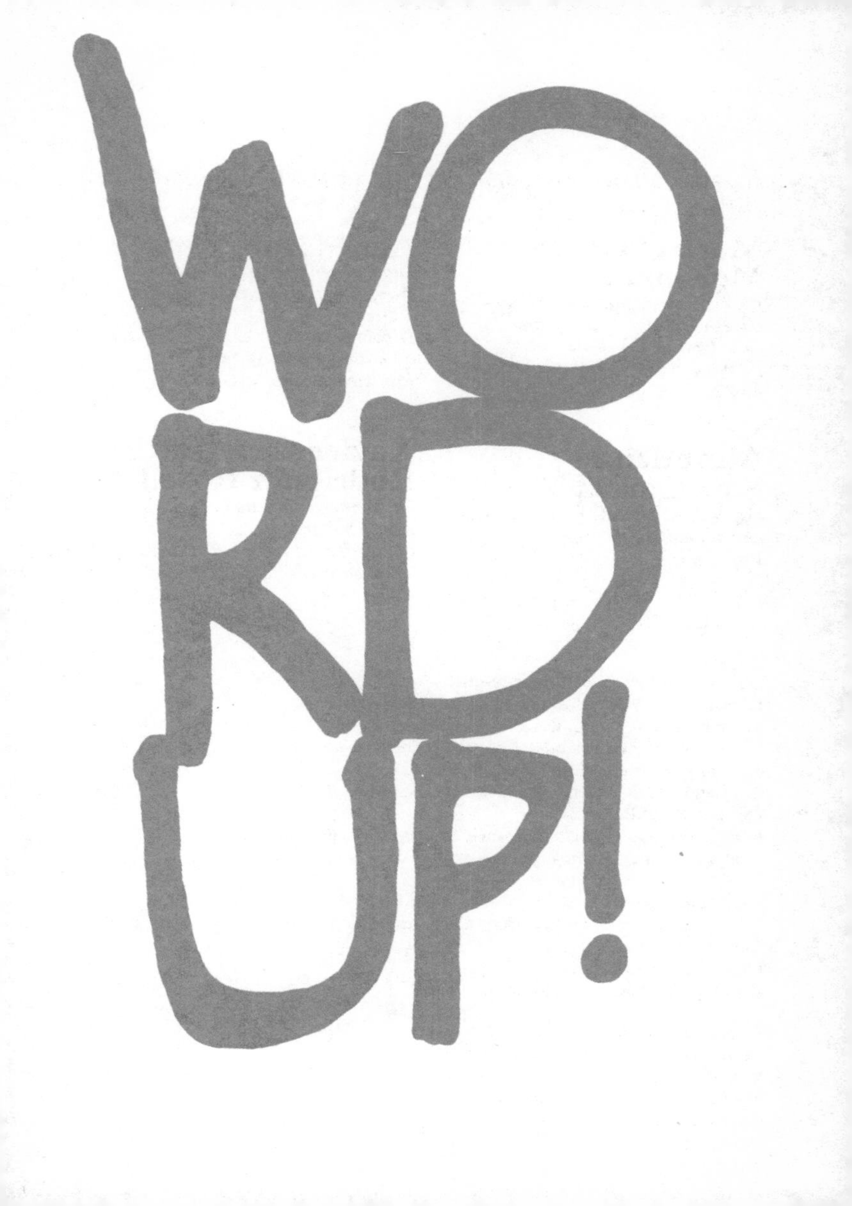
WORD
UP!

AUTEURS DU DICTIONNAIRE ANGLAIS-FRANÇAIS :

Mark D C McKinnon

Professeur d'anglais à l'École des Langues Modernes de l'Université Autonome de Barcelone
Formateur d'enseignants à Oxford TEFL

Almudena Sáiz García

Licenciée de philologie à l'Université de Salamanque
Professeur

AUTEURS DU DICTIONNAIRE FRANÇAIS-ANGLAIS :

Agnès Aubertot

Diplômée en français langue étrangère de l'Université Stendhal – Grenoble-3
Diplômée en Sciences de l'Éducation à l'Université Paris-8
Professeur de français langue étrangère

Xavier Rodríguez Rosell

Diplômé en traduction et interprétariat de l'Université autonome de Barcelone
Traducteur et résident à Paris

Directeur de collection : **Eduard Sancho**
Direction éditoriale de l'édition française : **Patrick Baradeau**
Adaptation française : **Laura Gragg et François Nida**
Équipe EMDL : **Laureen Lagarde et Frédéric Davanture**
Graphisme de la couverture et de l'intérieur : **La japonesa**
Adaptation du graphisme à l'édition française : **Mélanie Roero**
Dessins : **Sergi Padró**
Remerciements : **Victoria Aragonés, Stuart Lewis, Kyle Mawer, Graham Stanley, Blanca Moreno et nos familles et amis.**

ISBN : 978-2-35685-061-4
Dépôt légal : B14.114-2010, Mai 2010
Imprimé en Espagne par Novoprint

Éditions Maison des langues
22, rue de Savoie
75006 Paris
Tél./Fax : +33 (0)1 46 33 85 59
Courriel : info@emdl.fr
www.emdl.fr

Langue globale de communication au quotidien, l'anglais est aussi la langue des nouvelles technologies et des supports multimédias comme l'internet, les téléphones portables ou les jeux vidéo. Nous vivons dans un monde en constante évolution où il est vital d'être à jour en temps réel, de se recycler en permanence et de savoir utiliser les termes qui y font référence. En définitive, il nous faut apprendre à comprendre ce monde moderne (réel et virtuel) et changeant dans lequel nous évoluons chaque jour.

C'est pourquoi l'ambition de ce dictionnaire bilingue est d'être un véritable « usuel », de consultation facile, pour aider à comprendre et utiliser les mots et expressions les plus utiles, habituels et curieux de la langue parlée, en anglais (anglais britannique et américain) comme en français.

WORD UP ! recueille les termes qui en général n'apparaissent ni dans les dictionnaires conventionnels ni dans les livres, parce que tabous, politiquement incorrects ou simplement parce qu'ils sont récents. Cet ouvrage présente les nouvelles manières de parler et d'écrire (argot, néologismes, acronymes, familiers, etc.) extraits de sources authentiques : séries télévisées, chats, films, et surtout... de la rue.

WORD UP ! est en définitive, un petit dictionnaire qui s'adresse à tous les francophones ressentant le besoin ou la curiosité pour ce type de langage. De par sa structure bidirectionnelle, il est aussi idéal pour tous les anglophones qui veulent se rapprocher du français populaire authentique. Cet ouvrage est une vraie création d'auteurs, avec toute la subjectivité qu'elle implique. Ainsi, nous avons souhaité en faire un livre agréable à lire et divertissant.

Les Auteurs

Liste des abréviations

abrév.	abréviation
acron.	acronyme
adj.	adjectif
adv.	adverbe
angl.	de l'anglais
ar.	de l'arabe
arg.	argot
[AUS]	propre à l'Australie
défor.	déformation
expr.	expression
fam.	familier
f.	féminin
fig.	figuré
inj.	injurieux
interj.	interjection
iron.	ironique
lat.	du latin
lit.	littéraire
loc.	locution (nominale ou verbale)
loc. adv.	locution adverbiale
m.	masculin
n.	nom
pl.	pluriel
préf.	préfixe
pron.	pronom
[UK]	propre au Royaume-Uni
[USA]	propre aux États-Unis d'Amérique
rom.	du romani
transfor.	transformation
v.	verbe
v. prnl.	verbe pronominal
verlan	verlan
vulg.	vulgaire

ENGLISH-FRANÇAIS

WORKING ON SATURDAYS? WHAT A BUMMER! • TRAVAILLER LE SAMEDI? QUELLE DÉPRIME!

SORRY GUYS. I DIDN'T MEAN TO SAY THAT. I'VE JUST HAD A BLONDE MOMENT • DÉSOLÉ LES AMIS. CE N'EST PAS CE QUE J'AI VOULU DIRE. J'AI FAIT UN LAPSUS.

10 minutes ago

PASSÉ DE MODE, DÉPASSÉ, RINGARD

*—That is so **10 minutes ago!** • C'est complètement passé de mode ! C'est tellement ringard.*

10-4

MESSAGE REÇU

Appartient au jargon policier, mais très répandu.

*—Office: Any taxi for Main Street? It's urgent. // Taxi driver: **10-4**. I'm on my way. • Le QG : Un taxi pour Bond Street ? C'est urgent. // Le taxi : Message reçu. Je suis en route !*

187

MEURTRE

Expression provenant du jargon policier.

*—I need back-up. We got a **187** here. • Envoyez des renforts. Il y a eu un meurtre.*

2 cents [USA]

GRAIN DE SEL, OPINION, AVIS

*—Let me get my **2 cents** in here! • Permettez moi d'ajouter mon grain de sel !*

24/7

24 HEURES SUR 24 (JOUR ET NUIT, 7 JOURS SUR 7)

*—We're watching the suspect **24/7**. • Nous surveillons le suspect jour et nuit.*

4U *acron.*

(for you)

POUR TOI

4 est l'abréviation de **for,** et **u** de **you**. Elle sert beaucoup dans les SMS ou pour tchatter en ligne.

*—Kisses **4u.** • Bises à toi.*

411 [USA]

INFOS, DÉTAILS

A l'origine, numéro pour les renseignements téléphoniques.

*—Look at that chick! I need the **411** on her. • Wouah, t'as vu la nana ? J'aimerais bien des infos sur elle !*

6s and 7s (to be at)

SENS DESSUS DESSOUS, CONFUS, NUL

*—The defence was at **6s and 7s.** We lost 6-0. • La défense n'a pas du tout assuré. On a perdu 6-0.*

9 to 5

TAF, BOULOT

*—I have a new **9 to 5** at the local supermarket. I'm so happy. • J'ai un nouveau taf au supermarché. Je suis super content.*

ace *adj., expr.*

1 SUPER, GÉNIAL.

*—That movie is **ace**. • Ce film était super.*

2 GÉNIAL, FORMIDABLE

*—Patrick: I got tickets for the gig. // Graham: **Ace, man!** • Patrick : J'ai des billets pour le concert. // Graham : Génial, mec !*

act up *v.*

1 SE TENIR MAL (SURTOUT LES ENFANTS), FAIRE LE CLOWN

*—Mum: Kids, stop **acting up**, or you'll be going to bed. • La maman : Les enfants, si vous continuez votre cirque, vous irez tous au lit.*

2 MAL FONCTIONNER

*—This rust bucket is **acting up** again. • Ce tas de rouille fait encore des siennes.*

action (get) *loc.*

CHOPER, LEVER UNE FILLE

*—Duncan: Did you **get** any **action** at the weekend? // Pete: No, the disco was full of mingers. • Duncan : Alors, t'as chopé ce week-end ? // Pete : Non, il n'y avait que des thons dans la discothèque.*

afaik *acron.*

(as far as I know)

AUTANT QUE JE SACHE

*—Does she have msn? // **afaik,** no • Est-ce qu'elle a un MSN ? // Autant que je sache, non.*

ain't *v.*

Contraction négative du verbe être au présent. Exemple : **I am not = I ain't, You are not = You** ain't, etc.

air biscuit *n.*

PET, PERLE

*—I smell an **air biscuit!** • Ça sent le pet !*

aka *acron.*

(also known as)

CONNU ÉGALEMENT SOUS LE NOM DE, ALIAS

Sert souvent à préciser le nom usuel, plus connu que le nom officiel, d'une personne ou d'une chose.

*—Bruce Springsteen **aka** "The Boss". • Bruce Springsteen, alias « Le Boss ».*

alcopops *n.*

Mélange de soda et d'alcool (gin-tonic, rhum-coca, vodka-orange) en bouteille, à destination d'une clientèle d'abord féminine. Les vrais hommes n'en boivent jamais !

all right (a bit of)

expr. [UK, AUS]

MIGNON /MIGNONNE, BEAU / BELLE, BOMBE

—Daniel's ***a bit of all right.*** • *Daniel est super mignon.*

and stuff *expr.*

ETC., DES TRUCS / CHOSES COMME ÇA, TOUT ÇA

Sert à terminer une phrase de manière peu précise. Utilisée souvent par des jeunes qui ne savent pas comment conclure leur locution

—I like bikes, cars ***and stuff.*** • *J'aime bien les voitures, les motos et tout ça.*

anorak [UK] *n.* geek, nerd, freak [USA]

RINGARD, GEEK, PINGOUIN, TROLLEUR, NEUNEU

—Eddie's working on his stamp collection. He's a complete ***anorak.*** • *Eddie s'occupe de sa collection de timbres. C'est un vrai ringard.*

argy bargy *n.*

ENGUEULADE, BAGARRE

—There was a bit of ***argy bargy*** *in the pub last night.* • *Ça chauffait un peu au pub hier soir.*

arse licker *n.*

LÈCHE-CUL, FAYOT

—He only got the promotion because he was an ***arselicker.*** • *Il a été promu uniquement parce que c'est un lèche-cul.*

asap *acron.*

(as soon as possible)

DÈS QUE POSSIBLE, VITE FAIT

—Answer me ***asap.*** • *Donne-moi ta réponse dès que possible.*

at the minute *loc. adv.*

EN CE MOMENT, ACTUELLEMENT

—I can't talk to you ***at the minute.*** • *Je ne peux pas vous parler en ce moment.*

awol *acron.*

(absent without leave)

ÉVAPORÉ, DISPARU, DÉSERTÉ

—Michael's gone ***awol*** *again.* • *Michael s'est encore évaporé.*

UNE AUTRE EXPRESSION QUI SIGNIFIE LA MÊME CHOSE ET QUI PROVIENT ÉGALEMENT DU JARGON MILITAIRE : MIA (MISSING IN ACTION)

b4 *acron.*
(before)

DÉJÀ, AVANT

—*Seen U* ***B4****.* • *Je t'ai déjà vu.*

Utilisé de manière informelle en anglais comme raccourci en tchat et SMS. Dans l'exemple ci-dessus : **U = you, b (be)+ 4 (four) = before.**

baconify *v.*

AJOUTER DU LARD (OU DU BACON)

—*Can you* ***baconify*** *my burger, please?* • *Pourriez-vous ajouter du lard à mon hamburger, s'il vous plaît ?*

bad business *n.*

1 AFFAIRES DOUTEUSES, SALE AFFAIRE

—*He's just got into some* ***bad business****.* • *Il est mêlé à des affaires assez douteuses.*

2 À ÉVITER, PEU RECOMMANDABLE

—*That guy is* ***bad business****.* • *Ce type est à éviter.*

bad hair day *n.*

SE LEVER DU PIED GAUCHE, UNE MAUVAISE JOURNÉE

—*What's wrong with her? // She's having a* ***bad hair day****.* • *C'est quoi son problème ? // Elle s'est levée du pied gauche.*

badass [USA] *adj.*

1 D'ENFER, QUI ASSURE, SUPER-COOL, *adj.*

—*Jimmy has this* ***badass*** *moustache.* • *Jimmy a une moustache d'enfer.*

2 UN DUR À CUIRE *n.*

— *He's a real* ***badass****.* • *C'est un vrai dur à cuire.*

bail out *v.*

SAUVER, AIDER, TIRER D'AFFAIRE

—*The government is* ***bailing out*** *the banks.* • *Le gouvernement est en train de sauver les banques.*

bait *n.*

1 GONZESSE, FILLE, SUPER NANA

—*Let's go out and get some* ***bait.*** • *Sortons et ramenons des gonzesses.*

2 jail bait *n.*

MINEUR/E, LOLITA

Littéralement, « appât pour la prison » concernant un/e partenaire sexuel/le mineur/e.

—Careful, man! She's ***jail bait!*** • *Fais gaffe, mec ! Elle est mineure. C'est un coup à se retrouver en taule !*

baller [USA] *n.*

1 STAR DE BASKET

—That boy's a ***baller****.* • *Ce mec est un crack au basket.*

2 GAGNANT, WINNER

—That ghetto boy's a ***baller*** *now. He's made it big time.* • *Ce mec, sorti du ghetto, a réussi sa vie, c'est un vrai gagnant.*

ballin' *adj.*

BLINDÉ, FRIQUÉ, BOURRÉ DE THUNES

—Bill Gates is ***ballin'****.* • *Bill Gates est blindé.*

balls *n. pl., expr.*

1 COUILLES, JOYEUSES, VALSEUSES

—He didn't have the ***balls*** *to do it.* • *Il n'avait pas les couilles pour le faire.*

2 MERDE !, ZOB !

*—****Balls****! I've had enough!* • *Merde ! J'en ai assez !*

balls up *v., n.*

1 FOIRER, BOUSILLER, TOUT FOUTRE EN L'AIR

—Shit! I've ***ballsed*** *it* ***up*** *again!* • *Et merde ! J'ai encore tout foiré !*

2 BORDEL, DÉBANDADE

—What a ***balls up****!* • *Quel bordel !*

ballistic (go) *loc.*

PÉTER UN PLOMB, DEVENIR FOU

—He ***went ballistic*** *when we told him.* • *Il a pété un plomb quand on lui a annoncé la nouvelle.*

baltic *adj.*

PELER, SUPER-FROID

—Oh, man. It's ***baltic*** *out there.* • *Putain, ça pèle dehors.*

bamboozle *v.*

EMBROUILLER, TRICHER, EMBOBINER, ESCROQUER,

—OK, you give me 10, I'll give you 2, then you give your 2 to her and that's us quits. Got that? // Erm... you're ***bamboozling*** *me.* • *Ok, tu m'en files 10, moi je t'en donne 2 que tu lui donneras ensuite et on est quitte. Ça te va ? Euh, tu es en train de m'embrouiller.*

bang *interj., v.*

1 HOP !

—And ***bang****! He was gone!* • *Et hop ! Il avait disparu.*

2 TIRER, BAISER *vulg.*

*—Hey dude! Are you **banging** my sister?* • *Eh, mec ! T'es en train de tirer ma sœur ?*

bangin' *adj.*

1 BOMBE (SEXUELLE), BEAU / BELLE

*—Look at that, man. She's **bangin'**!* • *Regarde-moi ça ! Cette nana est une bombe !*

2 ÇA DÉCHIRE, HALLUCINANT

*—This party's **bangin'**!* • *Cette soirée déchire !*

bank on *v.*

COMPTER SUR, AVOIR CONFIANCE EN

*—Mike: Will we finish by 8, Joe? // Joe: I'm **banking on** it.* • *Mike : On aura fini à 8 heures, Joe? // Joe : En principe oui, je compte là-dessus.*

barf *v.*

DÉGUEULER, VOMIR, GERBER

*—He's had too much to drink. He's just **barfed**.* • *Il a trop bu. Il vient de dégueuler.*

barfaroni *adj.*

DÉGEULASSE !

*—Oh, **barfaroni**! I can't believe you're eating that shit!* • *C'est dégueulasse ! Comment tu peux manger cette merde ?*

barking mad *adj.*

CINGLÉ, TARÉ, DÉJANTÉ

*—Mad? He's **barking mad**, mate.* • *Fou ? Il est complètement cinglé, mon pote.*

bb *acron.*

(baby, babe)

MA POULE, PETITE AMIE, BÉBÉ, COPINE

*—I love U, **bb**.* • *Je t'aime, ma poule.*

bbiab *acron.*

(be back in a bit)

JE REVIENS TOUT DE SUITE

*—tel. **BBIAB**.* • *tél. Je reviens tout de suite.*

bbl *acron.*

(be back later)

DE RETOUR TOUT À L'HEURE

*—Studying. **BBL**.* • *Suis en train d'étudier. Je reviens tout à l'heure.*

b-boy *n.*

Terme qui désigne une personne qui s'identifie à la culture hip-hop. Il existe aussi une **b-girl**.

bbw *acron.*

(big beautiful woman)

EUPHÉMISME DÉSIGNANT UNE FEMME FORTE AVEC DE BELLES RONDEURS

*—I love you baby, you're my **bbw**.* • *Je t'aime ma chérie, tu es ma jolie ronde.*

beat up *v.*

CASSER LA GUEULE, BATTRE

*—Shut up Michael or I'll **beat** you **up**!* • *Tais-toi, Michael, ou je te casse la gueule !*

beats me *interj.*

AUCUNE IDÉE

*—Woman: What is that? // Man: **Beats me!*** • *Elle : Qu'est-ce que c'est ? // Lui : Aucune idée !*

beau *n.*

CHÉRI, PETIT AMI, COMPAGNON

*—In this photo here we can see Madonna and her new **beau**.* • *Dans cette photo nous voyons Madonna et son nouveau chéri.*

bed *v.*

COUCHER (AVEC QQN), SE FAIRE / SE TAPER QQN

*—He says he **bedded** 10 000 women before he finally settled down with Carla.* • *Il dit qu'il a couché avec plus de 10 000 femmes avant de se décider à s'installer avec Carla.*

bee's knees *n.*

LE NEC PLUS ULTRA, LE RÊVE, LA CRÈME, LE TOP

*—This guy thinks he's the **bee's knees** but he's a loser.* • *Celui-là se prend pour le nec plus ultra mais en réalité, c'est un pauvre type.*

beef up *v.*

INTENSIFIER, FORTIFIER, RENFORCER

*—We need to **beef up** our campaign or we'll lose.* • *Nous avons besoin d'intensifier notre campagne sinon nous allons perdre.*

beer goggles *n.*

Littéralement, « lunettes de bière ». Signifie que l'on déforme la réalité en l'idéalisant au travers les vapeurs d'alcool. Cela mène à faire des rencontres sexuelles qui n'auraient pas eu lieu dans un état normal.

*—She looked much better last night when I had my **beer goggles** on.* • *Elle était beaucoup plus belle hier soir, sous l'emprise de l'alcool.*

beer scooter *n.*

Littéralement, « scooter de bière / d'alcool ». Comme l'expression ci-dessus, désigne les moments où on ne se souvient pas comment on a réussi à rentrer chez soi tellement on était ivre.

*—I can't remember a thing, I must've got home on my **beer scooter**.* • *Je ne me souviens de rien. C'est mon scooter qui a dû me ramener chez moi.*

beer belly *n.*

GROS BIDON (DU BUVEUR DE BIÈRE)

*—Is that a **beer belly** I see?* • *Quel gros bidon !*

bender (to go on a) *loc.*

S'EN METTRE PLEIN LA TÊTE, ALLER SE CUITER, SE BOURRER LA GUEULE

—Pete: Where have you been? // Dan: Sorry, man. ***I went on a bender.*** *• Pete : T'étais parti où ? // Dan : Desolé, je m'en suis mis plein la tête.*

bent *adj.*

1 RIPOU, CORROMPU

—He's a ***bent*** *copper. • C'est un ripou.*

2 FOLLE, PÉDÉ *vulg. et inj.*

—Sam's ***bent.*** *• Sam est une vraie folle.*

bevvy *n.*

VERRE, GODET

—We're going for a ***bevvy.*** *Coming? • On va prendre un verre, tu viens ?*

bible thumper *n.*

PRÉDICATEUR, BIGOT, PROSÉLYTE

—Don't open the door! It's the ***bible thumpers!*** *• Ne leur ouvre pas ! Ce sont des prédicateurs !*

bimbo *n.*

POUFIASSE, PÉTASSE, BELLE IDIOTE

—Samantha's such a ***bimbo!*** *• Samantha est une vraie poufiasse !*

bird [UK] *n.*

NANA, FILLE, MEUF

—Hey Leonard, have you seen that new ***bird*** *in accounts? • Léonard, t'as vu la nouvelle nana à la compta ?*

black out *v.*

S'ÉVANOUIR, COMATER

—I can't remember a thing. I must've ***blacked out.*** *• Je ne me souviens de rien. J'ai dû m'évanouir.*

bling *n.*

CLINQUANT, BLING-BLING

Comme en français, à l'origine, référence aux bijoux et accessoires très voyants des rappeurs. Puis affichage de signes extérieurs de richesse.

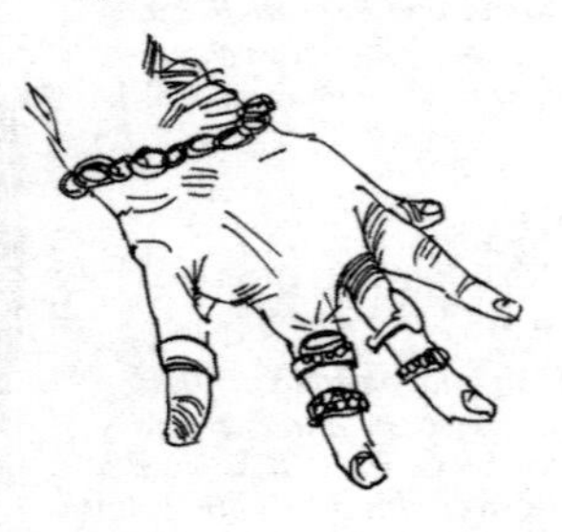

bloke [UK] *n.*

TYPE, GARS, MEC

—Paul's a nice ***bloke.*** *• Paul est un type sympa.*

a blonde moment *n.*

UN LAPSUS, PASSAGE À VIDE, UN MOMENT D'ABSENCE

—Sorry guys. I didn't mean to say

*that. I've just had **a blonde moment** • Désolé les amis. Ce n'est pas ce que j'ai voulu dire. J'ai fait un lapsus.*

blotto *adj.*

BOURRÉ, IVRE, PÉTÉ

*—You were **blotto** last night. • T'étais complètement bourré hier soir.*

blow *v., n.*

1 FOUTU, FOUTRE EN L'AIR, RUINER, GÂCHER

*—Shit! You've **blown** it now. Shouldn't have done that! • Merde ! Maintenant c'est foutu. Tu n'aurais pas dû faire ça.*

2 CLAQUER (DU FRIC)

*—I've **blown** all my dosh on this new mp4. • J'ai claqué tout mon fric sur ce nouveau MP4.*

3 SUCER *vulg.*

*—Oh, **blow** me baby! • Suce-moi !*

4 COCAÏNE [USA], CANNABIS [UK]

*—Got any **blow,** mate? • T'aurais pas de la coke, mec ?*

blowjob *n., vulg.*

PIPE, FELLATION, POMPIER

*—She gives good **blowjobs**. • Elle fait des super pipes.*

blunder *n.*

BOURDE

*—What a **blunder**! • Quelle bourde !*

bo *acron.* (body odour)

EMPESTER, ODEUR CORPORELLE, COGNER,

*—What's that ming? Somebody's got **bo.** • Qu'est-ce qui empeste comme ça ? Quelqu'un a une sacrée odeur.*

bob's your uncle [UK] *expr.*

ÇA Y EST, VOUS Y ÊTES !

*—Turn right, then second left and **bob's your uncle.** • Tournez à droite, puis la deuxième à gauche, et vous y êtes.*

bog down *v.*

BLOQUER, RALENTIR

*—We're getting **bogged down** with this. Let's move on. • Ce truc nous bloque. Passons à autre chose.*

bog standard [UK] *adj.*

MOYEN, ORDINAIRE

*—They're a **bog standard** band. • Ils sont moyens, comme groupe.*

bollocking (give a) *loc.*

ENGUEULER, SE PRENDRE LA TÊTE

*—She **gave me a** right **bollocking.** • Elle m'a bien engueulé.*

bollocks [UK] *n. pl.*

1 COUILLES

*—You don't have the **bollocks,** mate. • T'as pas de couilles, mec.*

2 FOUTAISE, N'IMPORTE QUOI

*—You're talking **bollocks**.* • *C'est des foutaises, ce que tu racontes.*

3 FAIT CHIER ! MERDE ! PUTAIN ! *interj.*

*—**Bollocks**! I'm gonna be late now!* • *Fait chier ! Je vais être en retard.*

bomb *v.*

FOIRER, RATER

*—That was quick! Did you **bomb** it?* • *C'était rapide, t'as foiré ?*

boner *n., vulg.*

LA TRIQUE

*—I've got a **boner**!* • *J'ai la trique !*

bong *n.*

PIPE (POUR FUMER), BONG

*—Pass me the **bong**, man.* • *Passe-moi la pipe, mec.*

bonk *v., vulg.*

BAISER, SAUTER

*—No **bonking** while I'm out.* • *Ne baisez pas en mon absence.*

bonkers *adj.*

FOU, DINGUE, CINGLÉ

*—You're **bonkers**, mate!* • *T'es complètement fou mon gars !*

booger, bogey *n.*

MORVE, CROTTE DE NEZ

*—Blow your nose, you pig. You've got **boogers**.* • *Mouche-toi le nez, espèce de porc, t'as de la morve qui coule.*

bookie's (the) *n.*

PMU, BOOKMAKER, COURSES

*—Geezer 1: Going down the **bookie's**? // Geezer 2: No, mate. Got no dosh.* • *Le type 1 : Tu vas au PMU ? // Le type 2 : Non, je n'ai pas de fric.*

booty, bootie *n.*

CUL, FESSES, DERCHE

*—Oh, mama! What a **bootie**!* • *Oh, putain, quel cul !*

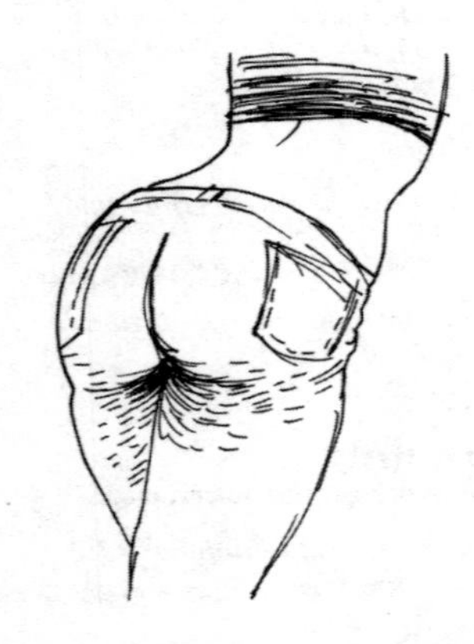

IL Y A DES MILLIERS DE MOTS POUR NOMMER CET ENDROIT OÙ LE BAS DU DOS PERD SON ILLUSTRE NOM: ASS, ARSE, BACKYARD, BEHIND, BUM, BUTT, JACKSY, KEISTER, PATOOTIE, REAR END...

bootylicious *adj.*
BANDANT(E), BIEN FOUTU(E)

—Yeah, baby. You're so ***bootylicious.*** • *T'es super bien foutue ma belle !*

booze *n.*
ALCOOL, GNÔLE

—No ***booze.*** *You're driving.* • *Pas d'alcool. Tu conduis.*

boozer *n.*
BISTROT, BAR

—I'm off to the ***boozer.*** *Coming?* • *Je vais faire un tour au bistrot. Tu m'accompagnes ?*

bottle *n.*
COUILLES, COURAGE, CRAN

—You ain't got the ***bottle,*** *mate.* • *T'as pas les couilles, mec.*

brick it *v.*
ÊTRE TERRIFIÉ, SE CHIER DESSUS

—I was ***bricking it!*** • *J'étais terrifié, j'ai failli me chier dessus !*

bro' *abrév.* (brother)
FRÈRE, POTE

—Yo, ***bro'.*** *Wassup?* • *Comment ça va, mon frère ?*

bum *v.*
FILER, PRÊTER

*—**Bum** me a square, man.* • *File-moi une clope, mec.*

bummer *n.*
DÉPRIME, GALÈRE, DÉCEPTION, ÇA CRAINT, LA POISSE

—Working on Saturdays? What a ***bummer!*** • *Travailler le samedi ? Quelle déprime !*

buns *n. pl.*
CUL, FESSES, POSTÉRIEUR

—That guy has nice ***buns.*** • *Ce mec a un beau cul.*

busted (get) *loc.*
SE FAIRE ARRÊTER / PINCER

—Robert Downey Jr. ***got busted*** *for heroin again!* • *Robert Downey Jr. s'est encore fait pincer pour possession d'héroïne !*

byob *acron.* (bring your own beer)
APPORTER UNE BOUTEILLE

—Party at mine. Saturday. 9pm. ***byob.*** • *Soirée chez moi, samedi à 21h, apportez de quoi boire.*

STUART GOT CARDED
AT THE CLUB LAST
NIGHT // BUT HE'S 25! //
YEAH BUT HE LOOKS 13
• STUART A DÛ PRÉSENTER
SES PAPIERS HIER AU BAR //
MAIS IL A 25 ANS! //
OUI, MAIS IL
EN FAIT 13.

cake *adj., n.*

1 BLÉ, FRIC

*—My kid's getting his **cake** this summer working in a beach bar. • Mon gosse se fait du blé cet été en bossant dans un bar de plage.*

2 cake (piece of) *adj., n.*

FACILE, LES DOIGTS DANS LE NEZ, C'EST DU GÂTEAU

*—This exercise is **cake!** • Cet exercice est super facile !*

Californication *n.* (California + fornication)

Référence au style de vie californien, réputé facile, coulant et lascif, qui se répand dans les autres États de l'ouest des États-Unis. Ce terme prend ses origines dans des auto-collants apparus en Oregon dans les années 1980, qui disaient : **Don't californicate Oregon**. Cette expression reste d'actualité aujourd'hui grâce à la série télévisée américaine *Californication*, ayant comme protagoniste David "Mulder" Duchovny.

*—**Californication** is spreading! • Attention ! La « Californication » se répand !*

call it a day *expr.*

FINI POUR AUJOURD'HUI

*—That's it! We're gonna **call it a day**. • Bon allez, on va dire que c'est fini pour aujourd'hui.*

camp *adj.*

CABOTIN, EFFÉMINÉ

*—That guy is so **camp**. • Ce type est tellement cabotin.*

candy *n.*

1 Euphémisme pour le sexe ou la drogue, utilisé surtout dans les milieux des prostituées et des dealers.

*—Whore: Hey! You want some **candy**? • La prostituée : Eh ! Tu veux une petite gâterie ?*

*—Pusher: Hey! You want some **candy**? • Le dealer : Eh ! Tu veux de la neige ?*

2 ear candy *n.*

BONNE MUSIQUE

*—That tune's **ear-candy**, man. • C'est de la bonne musique, ça.*

3 eye candy *n.*

UN PLAISIR POUR LES YEUX, MATER

*—Girlfriend: Stop eyeing up the birds. //Boyfriend: Don't worry baby. They're just **eye candy**. You're my true love. • La femme : Arrête de mater les autres nanas. // L'homme : T'inquiète, chérie, c'est juste pour le plaisir des yeux. C'est toi que j'aime.*

4 nose candy *n.*

COCAÏNE, CAME

*—She needs her fix of **nose candy**. • Elle a besoin de sa dose de coke.*

card *v.*

Demander l'âge (donc, une pièce d'identité) à une personne à l'entrée d'un bar ou d'une boîte de nuit pour vérifier qu'elle n'est pas mineure.

*—Stuart got **carded** at the club last night. //But he's 25! //Yeah, but he looks 13. • Stuart a dû présenter ses papiers hier au bar. / Mais il a 25 ans ! / Oui, mais il en fait 13.*

chav [UK] *n.*

BEAUF, BIDOCHON

*—I'm not going back to that club. It's full of **chavs**. • Je ne retourne pas dans cette boîte. Elle est remplie de beaufs.*

cheapskate *n.*

RADIN

*—Splash the cash, man! You're such a **cheapskate**! • Allonge le fric, mec ! T'es tellement radin !*

chedda [USA] *n.*

FRIC, L'OSEILLE

*—Hey man! You got the **chedda**? • Eh, mec ! T'as le fric ?*

chick *n.*

1 NANA, MEUF, POULE

*—I love Californian **chicks**. • J'adore les nanas californiennes.*

2 chick flick *n.*

FILM POUR FEMMES / MEUFS

*—Don't go to see "The Sisterhood of the Travelling Pants"! It's a **chick flick**. • Evite d'aller voir « Quatre filles et un jean ». C'est un film de meufs !*

chicken out *v.*

ÊTRE MORT DE TROUILLE

*—Girl: He didn't even say anything. He just **chickened out**. • La fille : Il n'a rien dit, il était mort de trouille.*

chief *n.*

POTE, MEC, CHEF

*—Wassup, **chief**! • Comment ça va, mon pote ?*

chill *v.*

1 SE LA COULER DOUCE, ÊTRE TRANQUILLE / AU CALME

*—I'm gonna **chill** with the guys tonight. • Je vais me la couler douce avec les copains ce soir.*

2 COOL (ÊTRE), SE DÉTENDRE

*—**Chill,** man!* • *Eh ! Cool, mon pote !*

chillax *v.*
(chill + relax)

ÊTRE RELAX / DÉTENDU / TRANQUILLE / COOL

*—Come on over, we're just **chillaxin'** tonight.* • *Passe à la maison, on se la joue vraiment relax ce soir.*

chuck *v.*

1 FILER, BALANCER

*—**Chuck** me the paper over, will you?* • *Tu pourrais me filer le journal, s'il te plaît ?*

2 PLAQUER, LARGUER

*—Give me a beer. Martha's **chucked** me again.* • *File-moi une bière, Martha m'a encore plaqué.*

3 chuck up *v.*

GERBER, VOMIR

*—Lamar's flatmate: Are you OK, Lamar? // Lamar: No, man, I've just **chucked up**.* • *Le co-locataire de Lamar : Ça va Lamar ? // Lamar : Non, je viens de gerber.*

chuff *v.*

PÉTER

*—Oh, no! Who **chuffed**?* • *Oh, non ! Qui vient de péter ?*

clam up *loc. v.*

FERMER SA GUEULE, SE TAIRE

*—I didn't know what to say. I just **clammed up**.* • *Je ne savais pas quoi dire. J'ai juste fermé ma gueule.*

clapped-out *adj.*

NAZE, FATIGUÉ, EN BOUT DE COURSE, CASSÉ, CREVÉ

*—Are you still driving that **clapped-out** SEAT?* • *Tu conduis toujours cette SEAT à moitié naze ?*

cock *n., vulg.*

1 BITE, QUEUE, ZOB

*—Knob down the disco: What you need is a good **cock**! // Girl: Piss off!* • *Le connard en boîte : Va faire un tour en boîte, t'as besoin d'un bon coup de bite ! // Elle : Va te faire foutre !*

NOMBREUX SONT LES NOMS POUR DÉSIGNER CET INSTRUMENT : BOBBY, DICK, KNOB, PRICK, SAUSAGE, SCHLONG, TODGER, WANGER, WILLIE...

2 cockteaser *n., vulg.*

ALLUMEUSE, FEMME AGUICHEUSE

*—Watch out, Mary, your man is talking to that **cockteaser**!* • *Fais gaffe, Marie, ton mec est en train de parler avec cette allumeuse !*

3 cock up *v.*

FOUTRE EN L'AIR

*—Shit! I've **cocked** it **up** again. • Merde, j'ai encore tout foutu en l'air.*

cold feet (get) *loc.*

SE DÉGONFLER,
AVOIR LA FROUSSE

*—Wilson: Did you ask her? //Johnson: No. // Wilson: Did you **get cold feet**? //Johnson:Yeah. • Wilson : Tu lui as posé la question ?// Johnson : Non. // Wilson : Tu t'es dégonflé ? // Johnson : Oui.*

come, cum *v., vulg.*

JOUIR, PRENDRE SON PIED, PLANER

*—Honey, I'm gonna **cum**! • Chéri, je vais jouir !*

come out *v.*

RÉVÉLER SON HOMOSEXUALITÉ, FAIRE SON COMING OUT

*—Margaret **came out** to everyone after dinner. She has a steady girlfriend now. • Margaret a révélé son homosexualité à tout le monde après le dîner. Elle a une compagne à présent.*

comptarded *adj.*
(computer + retarded)

BILLE / NUL EN INFORMATIQUE

*—My parents are so **comptarded**. • Mes parents sont des billes en informatique.*

con *n., v.*

1 ARNAQUE, ESCROQUERIE

*—This is a **con**. • C'est une arnaque.*

2 ROULER, TROMPER, BAISER

*—Don't try to **con** me. • N'essayez pas de me rouler.*

condomonium *n.*

SE TROUVER SANS PRÉSERVATIF

*—Yeah, we were just ready to get it on and suddenly it was **condomonium**. • On était sur le point de coucher ensemble quand on s'est aperçu que nous étions sans préservatif.*

cool *adj.*

SUPER, COOL, SYMPA

*—Your bike's so **cool**. • Elle est super ta moto.*

cough up *v.*

CRACHER, ALLONGER (L'ARGENT)

*—Come on, dad. **Cough up**! • Allez papa, crache ton fric !*

cow *n.*

IDIOTE, TARTE

*—She's such a **cow**! • C'est vraiment une pauvre idiote !*

crack up *v.*

1 ÊTRE MORT DE RIRE

*—Laugh? I was **cracking up**! • Si j'ai ri ? Mais j'étais morte de rire !*

2 PÉTER LES PLOMBS

—*Don't do that or dad'll **crack up**.* • *Fais pas ça sinon papa va péter les plombs.*

crap *n., adj.*

1 CACA, MERDE, CHIER

—*I'm going for a **crap**.* • *Je vais faire caca.*

2 UNE MERDE

—*The flick was **crap**.* • *Ce film était une sombre merde.*

crash *v.*

SE PIEUTER, SE COUCHER

—*I've had enough. I'm gonna **crash**.* • *J'en ai assez. Je vais me pieuter.*

cred *n.*

Tiré du mot crédibilité. Niveau de respect ou de prestige que l'on a dans le quartier. Sert uniquement dans l'expression «street cred».

—*Don't wear that, you'll lose your street **cred**.* • *Ne porte pas ça si tu veux que l'on te respecte.*

creep *n.*

SALE TYPE, TYPE LOUCHE, NAZE

—*He did what? Oh, man, he's such a **creep**. Forget him.* • *Il a fait quoi ? C'est vraiment un sale type ! Oublie-le.*

crs *acron.* (can't remember shit)

SE SOUVENIR DE RIEN / QUE DALLE

—*sms 1: WTF happened? // sms 2: **crs**.* • *SMS 1: kè ce ki c pacé, bordel ? // SMS 2 : Me souviens de que dalle.*

cut one *v.*

LÂCHER UN PET / UNE CAISSE

—*What's that smell? Who **cut one**?* • *C'est quoi cette odeur ? Qui vient de lâcher une caisse ?*

cyberdump *v.*

LARGUER QQN PAR E-MAIL OU SMS

—*Bryan didn't have the balls to say it to my face. He **cyberdumped** me.* • *Bryan n'avait pas le courage de me le dire en face. Il m'a larguée par SMS (ou par e-mail).*

cybersex *n.*

CYBERSEXE, SEXE VIRTUEL

—*Dawson: Have you ever tried **cybersex**? // Margaret: No, that's for perverts. Have you? // Dawson: Erm... No, no, of course not.* • *Dawson : Tu as déjà tenté le cybersexe ? // Margaret : ça va pas ? C'est un truc de pervers ! Et toi ? // Dawson : Euh... Non, non, bien sûr que non...*

MAN, THIS DICTIONARY'S THE DOG'S BOLLOCKS • PUTAIN CE DICO, C'EST SUPER GÉNIAL

d-boy *n.*

DEALER

—Right, ***d-boy****. You're nicked!* • *Ok, dealer, t'es niqué !*

damage *n.*

L'ADDITION, LA DOULOUREUSE

—Customer : What's the ***damage****? // Barman: $45. // Customer: What? That's a rip-off!* • *La cliente : Combien je vous dois ? // Le barman : 45$. // La cliente : Quoi ? Mais c'est du vol !*

dead *adv.*

SUPER, TRÈS, EXTRÊMEMENT

—This is ***dead*** *easy.* • *C'est super facile.*

dead beat *adj.*

CREVÉ, FATIGUÉ, MORT

—I'm gonna crash. I'm ***dead beat.*** • *Je vais me coucher. Je suis crevé.*

deck *v.*

EN METTRE UNE, FRAPPER

—I'm gonna ***deck*** *you!* • *Je vais t'en mettre une !*

decks *n.*

PLATINES (D'UN DJ)

—And, on the ***decks*** *tonite... DJ Flash!* • *Et aux platines ce soir... DJ Flash !*

deep-six *v.*

1 FLINGUER ,TUER, ALLUMER (TIRER DESSUS),

—He ***deep-sixed*** *him. He's pushing up daisies now.* • *Il l'a flingué. L'autre mange les pissenlits par la racine maintenant.*

2 give something the deep-six

TUER, ALLUMER (TIRER DESSUS)

—Give that shit the ***deep-six!*** • *Tuez-moi cette merde !*

deep shit (to be in) *loc.*

ÊTRE DANS LA MERDE / LA MOUISE

—Johnson, your ***in deep shit*** *now.* • *Johnson, t'es vraiment dans la merde maintenant.*

def *adj.*

QUI DÉCHIRE, DÉMENT, D'ENFER

*—That's a **def** bike. • Ta moto, elle déchire.*

deface *v.*

VIRER DE FACEBOOK

*—I **defaced** him. He was a creep anyway. • Je l'ai viré de mon Facebook. Il était louche de toute façon.*

dick *n., vulg.*

1 BITE, QUEUE

*—I've got a big **dick**. • J'ai une grosse bite.*

2 CONNARD, GLAND, NŒUD

*—He's such a **dick**! • C'est un vrai connard !*

SYNONYMES:
DICKHEAD, DIPSTICK, DIV, DIVVY, ETC.

3 dick around *v.*

FAIRE LE CON / L'ANDOUILLE

*—Linus, stop **dicking around**. I need it by this afternoon. • Linus, arrête de faire le con. J'en ai besoin pour cet après-midi.*

dig *v.*

APPRÉCIER, AIMER, KIFFER

*—I really **dig** your music, man. • J'kiffe vraiment ta musique, mon pote.*

ding *interj.*

Expression de victoire utilisée dans les jeux de l'internet quand on peut accéder à un niveau supérieur.

*—sms 1: **ding**! // sms 2: Wot level? // sms 1: 16 // sms 2: omg • SMS 1: Wouah ! niveau supérieur ! // SMS 2 : Lequel ? // SMS 1: 16 // SMS 2 : Génial !*

ding-dong [UK] *n.*

BAGARRE, RIFIFI

*—There was a right **ding-dong** down the pub last night. • Il y a eu une grosse bagarre hier soir au pub.*

dinks *acron.*

(double income no kids)

Expression qui désigne des couples à double revenu sans enfant.

dirty *adj.*

COCHON, SALE, PORNO, JAMBES EN L'AIR, CHAUD

1 dirty weekend

WEEK-END DE JAMBES EN L'AIR

2 dirty movie

FILM PORNO

3 dirty old man

VIEUX COCHON

Également utilisé pour mettre l'accent sur certains adjectifs, surtout ceux touchant à la taille. Équivalent : « putain de - ».

*—There was this **dirty** big hole. • Il y avait un putain de gros trou.*

dish [UK] *n.*

CANON, BEAU MEC / BELLE NANA

*—Have you seen the bloke in marketing? He's such a **dish**. • T'as vu le mec du marketing ? Il est canon !*

ditch *v.*

LARGUER, PLANTER, PLAQUER

*—You really should **ditch** that creep! • Tu devrais vraiment larguer ce naze !*

dive [UK] *n.*

TAUDIS, BOUGE, BOUI-BOUI

*—This place is a **dive**. • Cet endroit est un vrai taudis.*

do *v.*

Verbe très utilisé de manière informelle, mais fréquente, pour signifier des verbes comme FINIR, FAIRE ou PRENDRE.

*—You've been **done**, mate. • T'es fini mon ami.*

*—I don't **do** hard drugs. • Je ne prends pas de drogues.*

*—He **does** something for me. • Il me fait quelque chose.*

*—She **does** my head in. • Elle me prend la tête.*

doddle [UK] *n.*

FASTOCHE, DU GÂTEAU

*—This is a **doddle**! • C'est un truc fastoche !*

dodgy *adj.*

QUI CRAINT, CRAIGNOS, LOUCHE, DOUTEUX

*—Let's go! This place is **dodgy**. • Partons ! Ça craint ici.*

dog *n.*

THON, MOCHE, CAGEOT

*—Mary's a **dog**. • Mary est un thon.*

the dog's bollocks [UK] *loc.*

SUPER, GÉNIAL, DE LA BALLE, LE TOP, SUPER CLASSE

*—Man, this dictionary's **the dog's bollocks**. • Putain, ce dico, c'est super génial.*

dole (on the) *loc.*

CHÔMAGE (ÊTRE AU), CHÔMEDU

*—I've been **on the dole** for 8 years now. • Je suis au chômage depuis 8 ans.*

dope *n.*

1 IDIOT, ANDOUILLE, CRÉTIN

*—You **dope**! You've ballsed it up again. • Espèce d'idiot, t'as encore tout foiré.*

2 HERBE, MARIJUANA, CAME

—*He just sits there smoking* ***dope*** *all day.* • *Il passe toute sa journée à fumer de l'herbe.*

dork [USA] *n., adj.*

NAZE, RINGARD, BOUFFON

—*You're such a* ***dork!*** • *T'es vraiment un naze !*

dosh [UK] *n.*

FRIC, BLÉ, OSEILLE

—*Got any* ***dosh?*** • *T'as du fric ?*

doss *v.*

1 CRÊCHER

—*I'm* ***dossing*** *at Kyle's place 2nite.* • *Je crêche chez Kyle ce soir.*

2 doss around *v.*

NE RIEN FAIRE EN PARTICULIER, GLANDER

—*What did you do in Paris? // We just* ***dossed around.*** • *Vous avez fait quoi à Paris ? // Rien de spécial. On a glandé.*

dosser *n., adj.*

BRANLEUR

—*He's a right* ***dosser*** • *Quel branleur celui-là.*

dot-com millionaire *n.*

MILLIONAIRE POINT COM, MILLIONAIRE DU WEB

Terme qui désigne quelqu'un qui a fait fortune grâce à ses activités sur l'internet. Par exemple, Mark Zuckerberg, le fondateur de Facebook.

dot-gone *n.*

Un dot-gone signifie la faillite d'une activité dans le e-business.

—*He lost it all in that* ***dot-gone.*** • *Il a tout perdu dans le crash du e-business.*

dough [USA] *n.*

FRIC, BLÉ, OSEILLE

—*You got any* ***dough?*** • *T'aurais pas du fric ?*

down low *adj.*

TOP SECRET, CONFIDENTIEL

—*OK, dude! It's* ***down low!*** • *OK, mec, garde-le pour toi, c'est top secret !*

downsize *v.*

RÉDUCTION D'EFFECTIFS

—*Right everybody! Listen up. They're* ***downsizing*** *the company.* • *Votre attention s'il vous plaît ! On va subir une réduction d'effectifs.*

drama queen *n.*

SARAH BERNARD, GRANDE FOLLE

—*Don't be such a* ***drama queen.*** • *Ça va, arrête de faire ta Sarah Bernard.*

drop *v.*

1 LAISSER TOMBER

*—If he says one more thing, I'm gonna **drop** him! • S'il dit encore un mot, je le laisse tomber.*

2 LÂCHER, DÉPENSER

*—She **dropped** big dollar on that bling. • Elle a lâché de gros billets pour cette montre.*

3 PRENDRE, AVALER

*—She **dropped** an E at the party. • Elle a pris de l'exta à la fête.*

drop a sprog *loc.*

PONDRE, ACCOUCHER

*—I see Tina's **dropped** another **sprog**. • Je vois que Tina a pondu un autre mouflet.*

drop dead gorgeous *adj.*

HYPER CANON,
SUPER BEAU/BELLE

*—Oh man! Look at that dudette. She's **drop dead gorgeous**. • La vache ! regarde cette nana. Elle est hyper canon !*

drop it *expr.*

LAISSE TOMBER

dude [USA] *n.*

POTE, MEC, KEUM

*—Wassup, **dude**! • Comment ça va, mon pote ?*

dudette [USA] *n.*

MA BELLE, COPINE, MON CHOU

*—**Dudette**! Your so cool! • Ma belle ! T'es super cool !*

duff *adj.*

1 NUL, NAZE, CRAIGNOS, POURRI

*—I'm not coming back to another game. We're so **duff**. • Je ne reviendrai plus à un autre match. On est trop nuls !*

2 up the duff [UK] *adj.*

EN CLOQUE, ENCEINTE

*—I see her from next door is **up the duff** again. • Je vois que la voisine est encore en cloque.*

dump *n.*

1 TAUDIS, BOUGE, BOUI-BOUI

*—This place is a **dump**. • C'est vraiment un taudis ici.*

2 take a dump *loc., vulg.*

CHIER, FAIRE CACA, POSER UNE PÊCHE

*—David's gone to **take a dump**. • David est parti chier.*

3 dump someone *v.*

LARGUER, LAISSER TOMBER

*—Give me a beer. Martha's **dumped** me again. • File moi une bière. Martha m'a encore largué.*

3 dump on someone *v.*

POURRIR QQN, CASSER DU SUCRE SUR LE DOS DE QQN

*—Quit **dumping** on me you asshole! • Arrête de me pourrir, connard !*

e *n.*

EXTASIE, ECSTASY, DROGUE

—*Jay: How are you mate? // Jim: I'm benevolent. I feel like a big, fat Buddha! // Jay: Have you dropped an* ***e****, mate?* • *Jay : Ça va, mon pote ? // Jim : Je me sens plein de compassion, comme un énorme Bouddha ! // Jay : T'as pris de l'exta ou quoi ??*

e- *préfixe*

1 e-dress *n.*
ADRESSE ÉLECTRONIQUE

2 e-famous *n.*
QUELQU'UN DONT ON PARLE BEAUCOUP SUR L'INTERNET

3 e-gret *n., v.*
EXPRIMER UN REGRET SUR L'INTERNET

—*I* ***e-gret*** *the day I gave you my e-dress.* • *Je regrette le jour où je t'ai donné mon adresse e-mail.*

4 e-loan *n.*
PRÊT EN LIGNE

5 e-love *n.*
AMOUR VIRTUEL

6 e-tail *n.*
ACHETER EN LIGNE

7 e-zine *n.*
REVUE EXISTANT EXCLUSIVEMENT SUR L'INTERNET

ear worm *n.*

LITTÉRALEMENT « UN VER DE TERRE DANS L'OREILLE »

—*I've got an* ***ear worm*** *now. I hate The Birdy Song.* • *J'ai The Birdy Song qui me trotte dans la tête. Je déteste cette chanson.*

easy-peasy *adj.*

FASTOCHE

—*Don't worry, guys. This is* ***easy-peasy****.* • *Pas de souci, les amis. C'est fastoche.*

eat it, eat shit *expr.*

PRENDS-TOI ÇA DANS LA GUEULE !

—*Yes!* ***Eat it!*** *3-0!* • *Ouais ! Prends-toi ça dans la gueule ! 3-0 !*

—*UV been owned.* ***Eat shit!*** • *Tu t'es fait avoir. Prends-toi ça dans la gueule !*

edge city *loc.*

SUR LES NERFS, HYSTÉRIQUE

—Don't go in there, man. She's in ***edge city*** *this morning.* • *N'entre pas, mon vieux. Elle est complètement sur les nerfs ce matin.*

edge it *expr.*

ATTENTION

*—**Edge it!** The pigs are here!* • *Attention ! V'la les flics !*

effing *adj., adv.*

SALOPERIE, FOUTU, MAUDIT

*—The **effing** car won't start* • *Cette saloperie de voiture ne veut pas démarrer.*

eff off *expr.*

VA TE FAIRE FOUTRE !

egg on *v.*

POUSSER, INCITER

*—We were **egging** him **on**. So, he went and did it.* • *Nous le poussions. Donc, il est venu et a fini par le faire.*

elbow bending *n.*

1 PICOLER, LEVER LE COUDE

*—Sophie: What are you doing tonight, then? // Roger: A bit of **elbow bending** down the "Dog and Duck".* • *Sophie : Qu'est-ce que tu fais ce soir ? // Roger : Je vais aller picoler au bar du coin.*

2 give someone the elbow *loc.*

ENVOYER BALADER, VIRER, SAQUER

*—He's a creep. Why don't you just **give him the elbow?*** • *Ce type est un naze. Pourquoi tu ne l'envoies pas balader ?*

emo *n.*

Genre de musique datant du milieu des années 1980 appelé « emotional hardcore ». Les chansons, très critiques sur la société, tournent autour des thèmes de la douleur, la disgrâce, l'insatisfaction, etc.

end

1 things your end *loc.*

DE TON CÔTÉ

*—How are **things your end?*** • *Comment vont les choses, de ton côté ?*

2 get your end away *v.*

TIRER UN COUP, BAISER

*—**Get your end away** at the weekend?* • *T'as pu tirer un coup ce week-end ?*

eye up *v.*

MATER

*—Look at that hunk. He's **eyeing** you **up**.* • *Regard ce beau mec. Il te mate.*

CATCH YOU ON
THE FLIPSIDE!
• À DEMAIN!

faboo *abrév.* (fabulous)

SUPER, GÉNIAL, FABULEUX

—Messenger 1: Ding! Level 16. // Messenger 2: ***Faboo!*** *• Messenger 1 : Waouh ! J'en suis au niveau 16 ! // Messenger 2 : Super !*

face time *n.*

TÊTE À TÊTE

—Listen, honey. Come on over. We need some ***face time.*** *• Viens chez moi, chéri(e), on a besoin d'un tête à tête.*

faff around/about *v.*

FAIRE LE(S) CON(S), FAIRE N'IMPORTE QUOI

—Stop ***faffing around!*** *• Arrête de faire le con !*

fag *n.*

1 [UK] CLOPE, CIGARETTE

—Got a ***fag,*** *mate? • T'aurais pas une clope ?*

2 [USA] PÉDÉ *vulg.*

—Are you a ***fag?*** *• Tu ne serais pas pédé ?*

fair-doos *interj.*

PAS DE PROBLÈME, ENTENDU

—I'll be a bit late. // OK, ***fair-doos.*** *• Je serai un peu en retard. // Ok, pas de problème.*

fake bake *n.*

BRONZÉ AUX UV

—Woman: She's so tacky! Check the ***fake bake.*** *• Elle : Regarde comme elle est tarte ! Elle a un peu abusé des UV.*

fall on the grenade *loc.*

SE SACRIFIER (EN PRENANT LA MOCHE)

—OK, man. I'm going for that blonde; the good looking one. It's your turn to ***fall on the grenade.*** *• Allez. Je m'attaque à la belle blonde. C'est à toi de te sacrifier avec sa copine cette fois-ci.*

family jewels *n.*

COUILLES, BOURSES, BIJOUX DE FAMILLE

—Footballer: Careful with the ***family jewels,*** *man! It's the big ball you're meant to kick. • Le Footballeur : Hé, fais gaffe à mes couilles ! C'est dans le ballon que tu es censé taper.*

faqs *acron.*
(frequently asked questions)

QUESTIONS FRÉQUEMMENT POSÉES

far out *adj.*

INCROYABLE, DINGUE, GÉANT

*—Like, this is so **far out,** man.* • *C'est dingue ce truc.*

fart *n., v.*

1 PET

*—A **fart** can ruin your life.* • *Un pet peut te bousiller la vie.*

2 PÉTER, LARGUER UN PET

*—Who **farted?*** • *Qui a pêté ?*

3 farting terms *n.*

Signifie qu'on a atteint une si grande intimité en couple ou entre amis qu'on supporte sans problème les flatulences de l'autre.

*—How's your relationship going? // Great! We're on **farting terms** now.* • *Comment vous vous entendez ?// Super ! On peut quasiment péter en présence de l'autre.*

4 brain fart *n.*

BLOQUAGE MENTAL

*—I had a total **brain fart** when he asked me that question.* • *J'ai complètement bloqué sur cette question.*

fatty *n.*

GROS JOINT, BÂTON

*—Nice! A big **fatty!*** • *Super ! Un gros joint !*

feel up *v.*

PELOTER, TRIPOTER

*—What's wrong? // That prick just **felt me up!*** • *Qu'est-ce qui va pas ? // Ce connard vient de me peloter !*

feel it *v.*

SE SENTIR BIEN/COOL

*—Oh, man! I **feel it,** I **feel it!*** • *Oh mon Dieu, que je me sens bien !*

2 feel it hard *expr.*

SUBIR, T'AS PAS LE CHOIX

*—I own U. **Feel it hard!*** • *Tu es à moi maintenant. Admets-le !*

fell off the back of a lorry [UK] *expr.*

VOLÉ, TOMBÉ DU CAMION

*—Where did you get that new flat screen TV? // It **fell off the back of a lorry,** mate.* • *Où as-tu trouvé cet écran plat ? // Il est tombé du camion.*

-fiend

Personne qui est dingue de quelque chose. Se place après le nom ou la chose en question.

*—She's a Star Wars-**fiend.*** • *C'est une tarée de la Guerre des Étoiles.*

filthy rich *adj.*

PLEIN AUX AS, FRIQUÉ

*—Rich? He's **filthy rich**! • Riche ? Il est plein aux as, oui !*

fink on/out *v.*

RAPPORTER, DÉNONCER

*—Johnson: Right, who **finked** me **out**? // Wilson: I dunno! • Johnson : Ok, qui m'a dénoncé ? // Wilson : J'en sais rien !*

first base *n.*

SORTIR AVEC (SANS COUCHER), ROULER UNE PELLE, FLIRTER

*—Dennis: Did you get any action at the weekend? // Chris: Not much. I just got to **first base**. • Dennis : Alors, t'as couché ce week-end ? // Chris : Non, je suis juste sorti avec une fille.*

fish market *n.*

SOIRÉE ENTRE FILLES, ENTERREMENT DE VIE DE JEUNE FILLE, ENDROIT PLEIN DE MEUFS

*—It's like a **fish market** in here. Is that a hen party? • Qu'est-ce qu'il y a comme nanas ici ! C'est une soirée entre filles ou quoi ?*

fit *adj.*

CANON, BIEN FOUTUE, HOT

*—Have you seen that new bird in accounts? She's **fit**! • T'as vu la nouvelle meuf à la compta ? Elle est canon !*

fives *expr.*

Sert à exprimer le fait de vouloir être en possession de quelque chose.

*—Anyone for the last beer? // **Fives** on that! • Qui voudrait la dernière bière ? // Moi, ici !*

fix *n.*

1 DOSE (DE DROGUE)
Ne sert toutefois pas uniquement que pour la drogue. Le mot suggère une dépendance, une addiction.

*—I need my **fix** of PS3. • J'ai besoins de ma dose de PS3.*

2 FAUX, ARRANGÉ, TRUQUÉ, MONTÉ DE TOUTES PIÈCES

*—Their relationship's a **fix**. • Leur relation est montée de toutes pièces.*

flash *v., n.*

1 S'EXPOSER, MONTRER

—*Everybody: Sparky,* ***flash*** *your arse! // Sparky: Okey-dokey.* • *Tous : Sparky, montre-nous tes fesses ! // Sparky : D'ac !*

2 VANTARD, OSTENTATOIRE

—*Jealous man 1: Look at him in his new car. // Jealous man 2:* ***Flash*** *git!* • *L'homme envieux : Regarde sa nouvelle voiture. // L'homme envieux 2 : Quel vantard !*

flexitarian *n.*

(flexible + vegetarian)

Espèce de végétarien opportuniste qui, en plus de manger des œufs, des produits laitiers ou du poisson, mangera même un peu de viande à l'occasion.

—*Wanna a tuna and bacon omelette? // Yeah, man! I'm a* ***flexitarian!*** • *Tu veux une omelette au thon et au bacon ?// Allez, vas-y ! Je peux être « fléxitarien » !*

flicks (the) [UK] *n.*

CINÉ, CINOCHE

—*What's on at* ***the flicks,*** *mate? // Nothing, just chick flicks.* • *Qu'est-ce qui passe au ciné ? // Rien, que des films pour nanas.*

fling *n.*

LIAISON, AVENTURE AMOUREUSE

—*Piss head: Well, I was having a* ***fling*** *with that bird from accounts. So, Martha found out. And, well she dumped me. // Barman: Are you talking to me?* • *Le mec bourré : Bon, j'ai eu une liaison avec la nana de la compta. Martha l'a appris et m'a largué. // Le barman : C'est à moi que tu parles ?*

flip *v.*

PÉTER LES PLOMBS, CRISER

—*Piss head: Well, Martha* ***flipped*** *when she found out. // Barman: Here, get this down you.* • *Le mec bourré : Martha a pété les plombs quand elle l'a appris. // Le barman : Tiens, bois ça.*

flipside (on the)

[USA] *loc. adv.*

À DEMAIN, À BIENTÔT

—*Catch you* ***on the flipside.*** • *À demain !*

floor *v.*

1 DONNER UNE BAFFE

—*I'm gonna* ***floor*** *you!* • *Tu vas te prendre une baffe !*

2 SONNÉ, DÉVASTÉ, SECOUÉ

—*I was* ***floored*** *by the devastating news.* • *J'étais sonné par ces mauvaises nouvelles.*

floss [USA] *v.*

SE LA PÉTER, SE VANTER

—*Once he got the new car, he couldn't help but* ***floss.*** • *Il se la pète depuis qu'il a cette nouvelle voiture.*

flow [USA] *n.*

1 DÉCHIRER, ÊTRE DANS LE GROOVE

—Kanye West got the ***flow!*** • *Kanye West déchire sa race !*

2 BLÉ, FRIC, OSEILLE

—Show me the ***flow.*** • *Montre-moi le blé.*

3 go with the flow *loc.*

SUIVRE LE MOUVEMENT/LE COURANT, S'ADAPTER, FAIRE AVEC

—Bird from accounts: What do you wanna do? // Johnson: I dunno. I'll just ***go with the flow.*** • *La nana de la compta : Qu'est-ce que t'as envie de faire ? // Johnson : Je sais pas. Je vais suivre le mouvement.*

flunk *v.*

RATER, REDOUBLER, ÉCHOUER

—Shit! I've ***flunked*** *all my exams.* • *Merde ! J'ai râté tous mes examens.*

flush [UK] *adj.*

BOURRÉ / PÉTÉ DE THUNES

—The drinks are on him! He's ***flush.*** • *C'est lui qui invite ! Il est bourré de thunes.*

fly *adj.*

Sa définition dépend du contexte et du pays. En Grande-Bretagne, signifie quelqu'un de malin, aux Etats-Unis, quelqu'un de cool, de branché.

1 [UK]

—He's a ***fly*** *man. He waltzed off with my drink.* • *Le malin ! Il m'a piqué mon verre !*

2 [USA]

—Brian's a ***fly*** *man.* • *Brian est un type branché.*

fob off *v.*

SE DÉFILER

—He ***fobbed*** *me* ***off*** *with a lame excuse.* • *Il s'est défilé avec une excuse à la con.*

food coma *n.*

LÉTHARGIE, ASSOUPISSEMENT SUITE À UN GRAND REPAS BIEN ARROSÉ

—We all fell into a ***food coma*** *after lunch.* • *On est tous tombé dans le coma après le déjeuner.*

foodie *n.*

FIN GOURMET, MANIAQUE DE LA CUISINE

—No! No garlic! Everybody knows that! // You're such a ***foodie.*** • *Non, pas d'ail ! Tout le monde le sait ! // T'es un fin gourmet, toi.*

fork out *v.*

CRACHER, ALLONGER, LÂCHER

—I had to ***fork out*** *$1000 for the ring.* • *J'ai dû cracher 1000 dollars pour cette bague.*

frag *v.*

LIQUIDER, TUER

Trés utilisé dans les jeux vidéo.

*—I **fragged** you! lol.* • *Je t'ai eu ! Ha, ha, ha !*

freak *n.*

FANA, TARÉ DE, ACCRO À

*—He's a music-**freak**.* • *C'est un fana de musique.*

freak out *v.*

1 FLIPPER, PANIQUER

*—I **freaked out** when I heard my ex was preggers.* • *J'ai flippé quand j'ai appris que mon ex était en cloque.*

2 FAIRE PEUR, FOUTRE LA TROUILLE

*—Let's get out of this dodgy place. It's **freaking** me **out**.* • *Partons d'ici. Cet endroit me fait peur.*

freeballin' *v.*

AVOIR LES COUILLES À L'AIR

*—Hey, Jock! Like the kilt! Are you **freeballin'**?* • *Salut Jock ! J'aime bien ton kilt ! Tu as les couilles à l'air ?*

fresh *adj.*

COOL, BEAU

*—Look at my new wheels. // **Fresh**, man. Fresh.* • *Mate ma nouvelle voiture. // Elle est belle, mon pote, elle est belle.*

friend with benefits *n.*

AMIS QUI BAISENT, COUCHENT ENSEMBLE

*—Are you two an item? // No, we're just **friends with benefits**.* • *Vous êtes ensemble ? // Non, on est juste des amis qui baisent.*

front *n.*

FAÇADE, COUVERTURE

*—The fuzz: Right, admit it! The casino's just a **front**, innit?* • *Les flics : Allez, admets-le ! Le casino sert de couverture, c'est ça ?*

frottage *n.*

PELOTAGE

*—Wilson: Did you get past first base? // Johnson: Yeah, man. A bit of **frottage**.* • *Wilson : Vous êtes sortis ensemble ? // Johnson : Ouais, mon pote. Un peu de pelotage.*

frumpy *adj.*

MAL FAGOTÉ, PEU SOIGNÉ

*—If she just made an effort, she wouldn't be so **frumpy**.* • *Si elle faisait un effort, elle ne serait pas aussi mal fagotée.*

ftw *acron.*

(for the win)

POUR LA VICTOIRE

Contraction dont on se sert souvent sur l'internet.

fuck *n.,v.*

1 BAISE, COUP, TRINGLETTE

— *Wilson: Sheila? She's an easy* ***fuck****.* • *Wilson : Sheila ? Elle ne demande qu'à s'envoyer en l'air.*

2 BAISER, TRINGLER

— *Johnson: And Mary, does she* ***fuck****?* • *Johnson : Et Mary, elle baise ?*

fugly *adj.*

(fucking ugly)

SUPER MOCHE

—*Have you seen that other bird in accounts? // Yeah, man.* ***Fugly!*** • *Tu as vu l'autre nana de la compta ? // Ouais, mec, super moche.*

fularious *adj.*

(fucking hilarious)

SUPER DRÔLE, HILARANT

—*Oh, man! That's* ***fularious****!* • *Wouah, mec, c'est hilarant !*

full monty *n.*

LA TOTALE

—*Landlady: Do you want an English breakfast? // Guest: Yes, please. I'll have the* ***full monty****.* • *La patronne : Vous voulez un petit déjeuner complet ? // Le client : Oui, s'il vous plaît, la totale.*

fun police *n.*

Il existe plusieurs expressions qui se terminent avec « police » pour désigner des personnes qui veulent tout contrôler.
Par exemple, **the fun police, the music police**, etc.

—*Hey! Get that music off! It sucks ass! // The* ***music police*** *have arrived!* • *Ohé ! Arrête moi cette musique ! C'est une vraie merde ! // Houla, le flic est arrivé !*

—*Think your funny? // Oops, the* ***fun police*** *are here too.* • *Tu te crois drôle ?// Ah, la police du rire est là aussi.*

fuzz (the) *n.*

POLICE, FLICS, POULETS, KEUFS

—***The fuzz*** *are here.* • *La police est arrivée.*

fuzzbuster *n.*

DÉTECTEUR DE RADAR

—*Wilson: Slow down, man! // Johnson: It's Ok. I've got a* ***fuzz-buster*** *fitted.* • *Wilson : Ralentis, mec ! // Johnson : T'inquiètes, j'ai branché mon détecteur de radar.*

fuzzy math(s) *n.*

QUELQUE CHOSE D'INCOMPRÉHENSIBLE OU DE PAS CLAIR / C'EST DU CHINOIS

—*Dave: Got that? // Pete: No. It's* ***fuzzy math*** *to me.* • *Dave : T'as compris ? // Pete : Non. C'est du chinois pour moi.*

I'M GONNA DO HIM GOOD AND PROPER • JE VAIS LUI FAIRE UNE TÊTE AU CARRÉ

DO YOU GET IT? • TU PIGES?

g2g *acron.*
(got to go)
JE DOIS Y ALLER
Expression très utilisée en tchat.

gag for *v.*
MOURIR D'ENVIE DE QUELQUE CHOSE
*—I'm **gagging** for a fag.* • *Je meurs d'envie d'une clope.*

game (be) *loc.*
ÊTRE PARTANT
*—Bird from accounts: Anybody fancy a pint after work? //Johnson: **I'm game.*** • *La nana de la compta : Qui veut prendre une bière après le boulot ? // Johnson : Je suis partant.*

game over *expr.*
TERMINÉ, FINI, FOUTU
*—Piss head: So, Martha found out and it was **game over**.* • *Le mec bourré : Donc, Martha l'a appris et c'était terminé.*

gammy [UK] *adj.*
MAL EN POINT, BLESSÉ, ENDOMMAGÉ
*—I can't play tonight. I've got a **gammy** leg.* • *Je ne peux pas jouer ce soir. J'ai la jambe mal en point.*

ganja *n.*
HERBE, MARIJUANA
*—Got any **ganja** for my bong?* • *Tu n'aurais pas un peu d'herbe pour mon bong ?*

gank [USA] *v.*
CHOURRER, PIQUER, VOLER
*—Chas: Where did you get that, then? //Dave: **I ganked** it.* • *Chas : Tu l'as trouvé où ce truc ? // Dave : Je l'ai chourré.*

gatecrash *v.*
TAPER L'INCRUSTE
*—Donald: How did you manage to get an invite? //Scoop: I didn't. I just **gatecrashed**.* • *Donald : Comment as-tu fait pour avoir une invit' ? // Scoop : Je n'en avais pas. J'ai tapé l'incruste.*

gear *n.*

ÉQUIPEMENT, MATÉRIEL, MATOS

*—Have you seen my fishing **gear**? • T'aurais pas vu mon matos de pêche ?*

geek *n.*

GEEK, DINGUE, ZARBI, TARÉ

*—Mike: Going out tonight? // Ted: No, I can't, man. I'm playing World Conquest on facebook tonight. // Friend: **Geek!** • Mike : Tu sors ce soir ? // Ted : Je peux pas. Je joue à World Conquest ce soir sur Facebook. // Mike : espèce de taré !*

geezer [UK] *n.*

1 MEC, TYPE, GARS

*—Roger: Who's that **geezer** at the bar? //Kieran: That's Martha's ex. • Roger : C'est qui ce mec au bar ? // Kieran : C'est l'ex de Martha.*

2 diamond geezer [UK] *n.*

MEC BIEN, FIABLE / MERVEILLEUX

*—You're a **diamond geezer**, mate! • T'es vraiment un mec bien !*

LONDONIEN PUR JUS

*—What Dave? The **diamond geezer**? • Quel Dave ? Le Londonien ?*

3 geezer bird [UK] *n.*

GARÇON MANQUÉ

*—Kieran: Who's that bloke at the bar talking to Martha's ex? // Roger: That's not a bloke, it's a bird. //Kieran: No way! A **geezer bird** more like. • Kieran : C'est qui le mec en train de parler à l'ex de Marta ? // Ce n'est pas un mec, c'est une nana. // Ca alors ! C'est plutôt un garçon manqué.*

gel *v.*

S'ATTACHER, CRÉER DES LIENS

*—Ok, we're going out for a fag. We'll let those two guys **gel**. • On sort fumer une clope. On va laisser les deux autres mieux faire connaissance.*

get a grip *expr.*

SE CALMER, SE TRANQUILISER

*—Hey man! **Get a grip**, will you? • Hé mec ! Calme-toi, d'accord ?*

get a life *expr.*

T'AS RIEN D'AUTRE À FOUTRE, VIS TA VIE

*—Boy: I'm building my own island in Second Life. // Girlfriend: Second Life? **Get a life!** • Le type : Je développe ma propre île sur Second Life. // Sa copine : Second Life ? Tu n'as vraiment rien d'autre à foutre !*

get busy *loc.*

1 SE BOUGER, SE REMUER

*—DJ: Everybody **get busy** down there! • DJ : Allez, bougez-vous les fesses là en bas !*

2 S'ACTIVER

*—Come on, baby, let's **get busy**. • Allez, ma belle, on s'active un peu ?*

get fitted *v.*

SE FAIRE BEAU/BELLE, S'ATTIFER

*—I see you **got fitted.*** • *Je vois que tu t'es faite toute belle.*

get it *v.*

1 COMPRENDRE, PIGER

*—Do you **get it?*** • *Tu piges ?*

2 get it on *loc.*

COUCHER ENSEMBLE

*—We were just about to **get it on** when my dad walked in.* • *Nous étions sur le point de coucher ensemble quand papa est rentré.*

get off *v.*

ÊTRE EXCITÉ, JOUIR

*—Hey, you pervert! Are you **getting off** on this?* • *Espèce de pervers, ça t'excite ?*

get one's finger out *loc.*

S'ACTIVER, SE BOUGER LE CUL

La phrase complète, « **get one's finger out of one's arse** », se traduit littéralement par « se retirer le doigt du cul ».

*—The boss: Johnson, **get your finger out.*** • *Le chef : Johnson, bouge ton cul.*

get one's shit together *loc.*

SE REMETTRE, S'ORGANISER, METTRE EN ORDRE

*—Come on! **Get your shit together.** We're out of here.* • *Allez, remets-toi. On se casse d'ici.*

get real *expr.*

REVIENS SUR TERRE, RÉVEILLE-TOI !

*—**Get real,** dude!* • *Reviens sur terre, mon pote !*

ghetto *n., adj.*

1 GHETTO, QUARTIER DIFFICILE

*—I was brought up in the **ghetto** and I'm proud of it* • *J'ai grandi dans un ghetto et j'en suis fier.*

2 CAILLERA (RACAILLE)

*—That look is so **ghetto!*** • *Ce « look » est super caillera !*

2 ghetto blaster *n.*

MINI CHAÎNE PORTATIVE, GHETTO BLASTER

*—Who's that asshole with the **ghetto blaster?** Yo! Turn it down now or I'll call the pigs!* • *C'est qui ce connard avec la mini chaîne ? Eh ! Baisse-moi le volume ou j'appelle les flics !*

ghi *acron.*

(gotta have it)

IL FAUT QUE JE L'AIE, UN MUST

—*sms 1: New CoD gold on mndy. //sms 2:* ***GHI.*** • *SMS 1: J'ai le nouveau Call of Duty. // SMS 2 : Il faut que je l'aie.*

gig *n.*

BŒUF, IMPRO (MUSICALE)

—*When's your next* ***gig****?* • *C'est quand votre prochain bœuf ?*

git [UK] *n.*

IDIOT, IMBÉCILE, CONNARD

—*Move your arse, you* ***git!*** • *Bouge ton cul, imbécile !*

give lip *v.*

RÉPONDRE, ÊTRE INSOLENT

—*Don't* ***give*** *me* ***lip*** *boy or I'll deck you!* • *Ne réponds pas ou tu vas te prendre une baffe !*

gladrags *n.*

SE METTRE SUR SON 31, ÊTRE BIEN SAPÉ

—*Get your* ***gladrags*** *on! We're going out on the town.* • *Mets-toi sur ton 31. Ce soir, on sort en ville.*

glued *adj.*

COLLÉ, SCOTCHÉ

—*You just sit their all day* ***glued*** *to the telly. Come on, get your finger out and get down the dole office.* • *Tu passes tes journées collé devant la télé. Bouge-toi le cul et va t'inscrire au Pôle emploi.*

go commando *loc.*

AVOIR LES FESSES À L'AIR, NE PAS PORTER DE CULOTTE

Expression d'origine militaire qui a fini par devenir à la mode chez les designers et les journalistes.

—*Nice kilt, Jock. Are you* ***going commando****?* • *Super ton "kilt", Jock. Tu as les fesses à l'air ?*

go juice *n.*

CAFÉ, JUS, CAOUA

—*Gimme some more* ***go juice****, man!* • *Donne-moi un autre café, mec.*

go pear-shaped *loc.*

PARTIR EN COUILLES

—*Then Martha walked in and it all* ***went pear-shaped.*** • *Martha est arrivée et tout est parti en couilles.*

gob *n., v.*

1 GUEULE

—*Shut your* ***gob!*** • *Ferme ta gueule !*

2 CRACHER, MOLLARDER, GLAVIOTER

—*Seeing somebody* ***gobbing*** *makes me puke.* • *Voir quelqu'un cracher, ça me donne envie de gerber.*

gobshite *n.*

CONNARD, VANTARD, IMBÉCILE

*—Shut it you **gobshite!** You talk nothing but crap.* • *Ta gueule, connard ! Tu racontes n'importe quoi !*

go getter *n.*

ALLER DE L'AVANT, QUELQU'UN D'ÉNERGIQUE, AMBITIEUX

*—She's a real **go getter**.* • *Elle va vraiment de l'avant.*

good and proper *loc.*

BIEN COMME IL FAUT, VACHEMENT

*—I'm gonna do him **good and proper**.* • *Je vais lui faire une tête au carré.*

good to go *adj.*

ÊTRE PRÊT

*—Wife: You ready? // Husband: **Good to go,** babes.* • *La femme : T'es prêt ? // Le mari : C'est bon, je suis prêt, ma poupée.*

goodies (get the) *loc.*

TREMPER LE BISCUIT, BAISER

*—Did you **get the goodies**?* • *Alors, tu as trempé le biscuit, hier ?*

goof around *v.*

GLANDER, PERDRE SON TEMPS

*—Stop **goofing around.** I want this by this afternoon.* • *Arrête de glander. J'en ai besoin pour cet après-midi.*

goof up *v.*

MERDER, FOIRER

*—Damn! I **goofed up**. I'm so sorry.* • *Zut ! J'ai merdé. Je suis désolée.*

goof juice *n.*

BOISSON ALCOOLISÉE, GNÔLE

*—Waaashaaap? // Have you been on the **goof juice?*** • *Chalut. // Houla, qu'essse ki s'passe ? T'as bu (sous-entendu : de l'alcool) ?*

google *v.*

RECHERCHE GOOGLE

*—Where's Kazakhstan? // Dunno. **Google** it.* • *Où est le Khazakhstan ? // Je sais pas. Faut googler.*

goose *v.*

PINCER LES FESSES / LE CUL

*—Johnson's talking to that bird. Go up and **goose** him.* • *Johnson est en train de parler à cette meuf. Vas-y et pince lui les fesses.*

gotcha! *interj.*

PIGÉ, COMPRIS, CAPTÉ

*—You got that? // Yeah, I **gotcha!*** • *T'as compris ? // C'est bon, j'ai pigé.*

gov' [UK] *n.*

CHEF, BOSS

*—Ok, **gov'**. I'm nearly there.* • *Ok, chef, je suis presque arrivé !*

granny panties *n.*

CULOTTES DE GRAND-MÈRE

*—Oh, no! **Granny panties**. That's such a turn off! • Merde ! Une culotte de grand-mère ! Ça tue l'amour !*

grass *v., n.*

1 BALANCER, DÉNONCER, MOUCHARDER

*—Did you **grass** on me? • Tu m'as balancé ?*

2 HERBE, MARIJUANA

*—I got some **grass**. You got any skins? • J'ai de l'herbe. T'as des feuilles (de papier à rouler) ?*

gratz *abrév.* (congratulations)

FÉLICITATIONS, BRAVO

*—Blue Baboon: gg // Green Goblin: **Gratz**! • Blue Baboon : Bon match ! // Green Goblin : Félicitations !*

gravy train *n.*

BON PLAN (PROFESSIONNEL)

*—I'm back on the **gravy train**. • J'ai retrouvé un taf.*

grease monkey *n.*

MÉCANO, MÉCANICIEN

*—I'm taking my wheels to the **grease monkey**. • Je dois laisser ma voiture au mécano.*

greasy spoon *n.*

BOUI-BOUI, GARGOTTE

*—I'll have to warn you, it's a **greasy spoon** but you'll like it. • Je te préviens, ça fait un peu boui-boui mais ça te plaira.*

green *adj., n.*

1 VERT, INEXPÉRIMENTÉ

*—He's a bit **green** but he'll learn. • Il manque un peu d'expérience mais il apprendra.*

2 OSEILLE, FRIC, BLÉ

Les billets de banque américains sont vert foncé.

*—Show me the **green**. • Montre-moi l'oseille.*

3 HERBE, MARIJUANA

*—Hey, I got some **green** for your bong. • Hé, je t'ai rapporté de l'herbe pour ton bong.*

grief *v.*

ENQUIQUINER, EMBÊTER

Ce verbe sert énormément dans le monde de l'Internet.

*—I've been **griefed** again in Second Life. • Je me suis encore fait enquiquiner dans Second Life.*

grind *n., v.*

1 LA ROUTINE, LE TRAIN-TRAIN

*—Right, guys! Break's over. Back to the **grind**. • Ok les gars, fini la pause ! Retour à la routine.*

2 TRAVAIL (DUR ET MONOTONE), BÛCHER

*—We **grind** all day and that fat cat gets all the lolly. Life's shit, then you die. • On se casse le cul à bosser dur toute la journée et c'est les gros pachas qui s'en mettent plein les poches. La vie est injuste !*

groggy *adj.*

ENSUQUÉ, DANS LES VAPES

*—Sorry, I'm a bit **groggy** today. • Désolé, je suis un peu ensuqué aujourd'hui.*

grounded *adj.*

PUNI (PRIVÉ DE SORTIE)

*—I can't go out tonight. I'm **grounded**. • Je ne peux pas vous retrouver ce soir. Je suis privé de sortie.*

gross [USA] *adj.*

DÉGEULASSE

*—Girl: Don't do that! That's **gross**! // Boyfriend picking his nose: Okey-dokey. • La fille : Ne fais pas ça ! C'est dégeulasse ! // Le garçon qui se met les doigts dans le nez : Ok, d'ac.*

grow a set *expr.*

FAIS T'EN POUSSER UNE PAIRE

*—Come on, Johnson. **Grow a set** and tell him to eff off. • Allez, Johnson. Fais t'en pousser une paire et dis lui d'aller se faire foutre.*

grub *n.*

BOUFFE, BOUSTIFAILLE

*—The **grub**'s great in that pub. Wanna go? • La bouffe est super bonne dans ce pub. ça te dit ?*

guff *v., n.*

1 PÉTER, LÂCHER UNE PERLE

*—What's that smell? Who **guffed**? • C'est quoi cette odeur? Qui a pété ?*

2 PET

*—What's that **guff**? Who cut one? • Quelle odeur ! Qui en a lâché une ?*

3 BÊTISES, ÂNERIES, FOUTAISES

*—You're talking **guff**. • Tu racontes des bêtises.*

gun (son of a) *loc.*

FILS DE PUTE

Pour éviter de dire « **bitch** » (pute), on remplace ce mot par « **gun** ».

*—You **son of a gun**. I'ma gonna get you! • Espèce de fils de pute... je t'aurai !*

gung-ho *adj.*

ENTHOUSIASTE, À FOND

*—Michael and Sarah aren't very **gung-ho** on helping me. • Michael et Sarah ne sont pas très enthousiastes à l'idée de m'aider.*

hacked-off *adj.*

ÊTRE À CRAN / EN COLÈRE

*—Martha's **hacked off.** What happened? • Marta est à cran. Qu'est-ce qui s'est passé ?*

hair band *n.*

Terme qui fait référence aux groupes de hard-rock des années 1980, connus pour les chevelures fournies de leurs membres et leurs solos de guitare stridents, tels que Mötley Crüe, Poison, Europe, L.A. Guns, etc.

hair of the dog *n.*

Remède pour soigner la gueule de bois qui consiste à reboire de l'alcool le lendemain d'une cuite.

*—Bill: Oh, no! I've got a hangover // John: No problem, mate. What you need is a **hair of the dog!** • Bill : Oh, quelle gueule de bois ! // John : Pas de problème mon pote. T'as juste besoin de reboire un coup.*

hairy *adj.*

ÉPOUVANTABLE, ÉPINEUX, DURAILLE

*—That was a really **hairy** experience. • Ce fut une expérience épouvantable.*

half-assed [USA] *adj.*

NI FAIT, NI À FAIRE, MAL FAIT, FOIREUX

*—I'm phoning the workies tomorrow. They've left me with this **half-assed** repair job. • J'appelle les artisans de-main. Ils m'ont planté avec ce travail de réparation ni fait ni à faire.*

EN ANGLAIS BRITANNIQUE CELA S'ÉCRIT : HALF-ARSED

ham it up *v.*

EN FAIRE DES TONNES

*—Actor: There's nothing wrong with **hamming it up** a bit. • Le comé-dien : Il n'y a pas de mal à en faire des tonnes de temps en temps.*

handbags at dawn *loc.*

DISPUTE SANS IMPORTANCE

Vient de l'expression « **pistols at dawn** » (« duel à l'aube »). La subs-titution de « pistols » par « **hand-bags** » (« sacs à main ») ridiculise la situation, minimise le désaccord ou la dispute entre deux personnes.

*—A ding-dong? Nah, it was more like **handbags at dawn**. • Une baston ? Non, c'était une dispute sans importance.*

handle *n.*

1 PSEUDO, SURNOM, BLASE

*—My new **handle** is Blue Baboon. • Mon nouveau pseudo est Blue Baboon.*

2 love handles *n.*

POIGNETS D'AMOUR

*—**Love handles** turn me on. • Les poignets d'amour m'excitent terriblement.*

hang out *v.*

TRAINER (ENSEMBLE)

*—We used to **hang out** at that pub for a while. • Avant, on passait pas mal de temps à trainer dans ce pub.*

hanky panky *n.*

BÊTISES, GALIPETTES

*—I'm going out. No **hanky panky** when I'm gone, ok? • Je sors. Pas de bêtises en mon absence, ok ?*

hard on *n.*

BANDER, AVOIR LA TRIQUE

*—I've got a **hard on** for you the size of Peru. • Je bande grave quand je pense à toi.*

hard-up *adj.*

ÊTRE FAUCHÉ / RAIDE / À SEC

*—I can't splash any cash. I'm **hard-up** at the moment. • Je ne peux rien dépenser en ce moment. Je suis complètement fauché.*

hash *n.*

1 HACHISCH, HERBE

*—Is that weed or **hash**? • C'est de l'herbe ou du shit ?*

2 hash brownies *n.*

SPACECAKES, GÂTEAUX AU HACH

*—I can make you some **hash brownies** if you don't smoke. • Je peux te faire des spacecakes si tu ne fumes pas.*

haul ass *expr.*

SE BOUGER LE CUL

*—Come on! **Haul ass**! We're outta here. • Allez ! Bougeons-nous le cul, on se casse !*

have kittens *expr.*

SE FAIRE UN SANG D'ENCRE

*—Why didn't you call? I was **having kittens**. • Pourquoi tu ne m'as pas appelé ? Je me faisais un sang d'encre.*

hawk *n.*

DEALER, TRAFIQUANT

*—You'll get it cheaper from the **hawks** in the centre. • Tu l'auras moins cher chez les dealers dans le centre.*

heads are gonna roll *expr.*

DES TÊTES VONT TOMBER, ÇA VA SAIGNER

—That's the third contract we've lost. ***Heads are gonna roll.*** • *C'est le troisième contrat que l'on perd. Il y des têtes qui vont tomber.*

heart on *n.*

État amoureux, euphorique, rempli d'émotion. Avoir le béguin. Être dingue de quelqu'un.

—Baby you give me such a ***heart on.*** • *Bébé, j'suis dingue de toi.*

heaving *adj.*

BONDÉ, PLEIN À CRAQUER

—Come on. Let's go. It's ***heaving*** *in here.* • *Allez, partons. C'est bondé ici.*

heavy *adj.*

1 GÉNIAL, EXCELLENT, SUPER

—You passed? That's ***heavy!*** • *Tu as réussi ? C'est génial !*

2 GRAVE, SÉRIEUX, DUR

—This is a ***heavy*** *situation. I don't know what to do.* • *C'est une situation très grave. Je ne sais pas quoi faire.*

heebie jeebies *n.*

JETONS, FROUSSE, TROUILLE

—Let's get out of here! This place gives me the ***heebie jeebies.*** • *Cassons nous d'ici. Cet endroit me fout les jetons.*

hell yeah *interj.*

PUTAIN, OUAIS ! C'EST CLAIR !

—Another beer? ***Hell yeah!*** • *Une autre bière ? Putain, ouais.*

helluva *adv., adj.* (hell of a)

1 SUPER, VACHEMENT, HYPER

—Mike is a ***helluva*** *nice guy.* • *Mike est un mec super sympa.*

2 En tant qu'adjectif, peut être utilisé pour signifier quelque chose de négatif ou de positif, selon le contexte.

—That's a ***helluva*** *car he's got.* • *Il a une foutue voiture.*

—He has a ***helluva*** *life.* • *Il a une chienne de vie.*

hen party *n.*

SOIRÉE ENTRE FILLES, ENTERREMENT DE VIE DE JEUNE FILLE

—It's like a fish market in here. Is that a ***hen party?*** • *Il n'y a que de la meuf ici. C'est une soirée entre filles ici ou quoi?*

henpecked *adj.*

MARI DOMINÉ, MENÉ PAR LE BOUT NEZ

—He's gonna call her indoors. He's ***henpecked.*** • *Il doit appeler sa*

femme. Il est complètement dominé (= Elle porte la culotte).

her indoors [UK] *n.*

BOURGEOISE, ÉPOUSE

*—I'm just gonna call **her indoors**.* • *Je vais juste appeler ma bourgeoise.*

hickey *n.*

SUÇON

*—Hey! Is that a **hickey** you've got?* • *Dis donc ! T'as pas un suçon, là ?*

high *adj.*

1 DÉFONCÉ, DROGUÉ

*—Oh, man! I'm **high**.* • *Putain ! J'suis défoncé.*

2 high and dry *adj.*

LAISSER QUELQU'UN EN PLAN

*—Where were you? You left me **high and dry**!* • *T'es parti où ? Tu m'as totalement laissé en plan !*

hip *adj.*

À LA MODE, IN, HYPE, BRANCHÉ

*—Flares are **hip** now.* • *Les pattes d'éph sont revenues à la mode.*

hissy fit *n.*

PIQUER SA CRISE

*—Johnson's taking another **hissy fit**.* • *Johnson nous fait encore une de ses crises.*

hit *n.*

1 ASSASSINAT, MEURTRE

*—The head honcho ordered the **hit**.* • *Le chef de clan a commandité l'assassinat.*

2 TAF, BOUFFÉE

*Gimme a **hit**, man.* • *File-moi une taf, mec.*

hit it *interj.*

1 VAS-Y, EN AVANT!

*—Bruce Springsteen: Ok, Clarence, **hit it!*** • *Bruce Springsteen : Allez, vas-y, Clarence !*

2 SE CASSER, SE BARRER RAPIDEMENT, APPUYER SUR LE CHAMPIGNON

*—Bank robber: Come on! **Hit it!*** • *Le braqueur : Allez, cassons-nous !*

hit on *v.*

DRAGUER, FAIRE DU PLAT

*—Are you **hitting on** me?* • *T'essaies de me draguer, là ?*

hit the books *loc.*

RÉVISER, ÉTUDIER

*—Come on! Let's **hit the books**.* • *Allez ! Faut réviser !*

hit the door *loc.*

DÉGAGER, PRENDRE LA PORTE

*—**Hit the door**, man!* • *Dégage de là, mec !*

hit the road *loc.*

S'EN ALLER , METTRE LES VOILES / LES BOUTS

*—**Hit the road,** Jack. And, don't you come back no more. • Va-t-en, Jack, et ne reviens pas sur tes pas.*

hit the sack *loc.*

SE PIEUTER, SE COUCHER

*—I went straight home and **hit the sack.** • Je suis rentré et je me suis pieuté direct.*

hit the streets *loc.*

SE RÉPANDRE

*—When this news **hits the streets,** we're in deep shit! • Quand la nouvelle se répandra, on sera vraiment dans la merde.*

hit the town *loc.*

SORTIR, FAIRE LA FÊTE, VISITER

*—When we got to NYC, we **hit the town** right away. • Dès qu'on est arrivé à New York, on est tout de suite sorti en ville.*

ho *n. vulg.*

PUTE, POUFIASSE

hockey mom *n.*

aussi "soccer mom"

Aux États-Unis, ce terme définit un mère au foyer issue de la classe moyenne-aisée qui vit dans un quartier résidentiel et qui passe son temps à conduire ses enfants à leurs différentes activités - hockey, football, baseball, danse, cours de musique. C'est une « ménagère de moins de 50 ans » très active.

hog *v.*

SQUATTER, MONOPOLISER, BOGARTER

*—Hurry up! Stop **hogging** the computer! • Grouille-toi ! Arrête de squatter l'ordi !*

hold up *v.*

1 BRAQUAGE, ATTAQUE À MAIN ARMÉE

*—He got 5 years for **holding up** a bank. • Il a pris 5 ans pour un braquage de banque.*

2 RETARDER, RETENIR

*—We were **held up** by heavy traffic. • On a été retardé par la circulation.*

hold your horses *expr.*

SE CALMER, PATIENTER

*—Just **hold your horses**! Let's think about this. • Eh, calme-toi et réfléchissons-y !*

holla *v.*

FAIRE SIGNE

*—If you need anything, just **holla.** • Fais-moi signe si tu as besoin de quoi que ce soit.*

homeboy *n.*

MON VIEUX / POTE

*—Hey, **homeboy**! Wassup!* • *Hé mon pote, quoi de neuf ?*

honcho *n.*

GRAND CHEF, LEADER

*—Have some respect, brother! You're talking to the head **honcho** there.* • *Un peu de respect frère ! Tu t'adresses au grand chef, là !*

hood *n.*

(NEIGHBORHOOD) QUARTIER

*—I'm going up the **hood** to see my man.* • *Je vais faire un tour dans le quartier saluer mon pote.*

hoodie *n.*

1 SWEAT À CAPUCHE

*—He was wearing a white **hoodie**.* • *Il portait un sweat blanc à capuche.*

2 Terme qui sert aussi à désigner les délinquants (voyoux, racaille) qui portent souvent des blousons à capuche pour cacher leur tête.

*—Don't go down the mall, it's full of **hoodies**.* • *Evite le centre commercial, il est rempli de racaille.*

hoodlum *n.*

VOYOU, LOUBARD

*—Piss off, you **hoodlum**!* • *Casse-toi, voyou !*

hook *n.*

1 La partie d'une chanson qui accroche, en général le refrain.

*—Listen to this, the **hook's** coming up.* • *Ecoute bien, on arrive à l'accroche de la chanson.*

2 COUP DE POING

*—I hit him with a good left **hook**.* • *Je lui ai filé un bon coup de poing.*

3 hooked *adj.*

ÊTRE ACCRO

*—I'm totally **hooked** on season 3.* • *Je suis totalement accro à la saison 3.*

4 hook up with *loc.*

SE VOIR, SE RENCARDER

*—Let's **hook up** the next time you're in town.* • *Voyons-nous la prochaine fois que tu es en ville.*

SORTIR, COUCHER AVEC

*—I **hooked up with** Lisa last night.* • *Je suis sorti avec Lisa hier soir.*

horny [UK] *adj.*

1 ÊTRE CHAUD/E

*—She is a **horny** chick.* • *Elle est super chaude.*

2 ÊTRE EXCITÉ, BANDER

*—That dress makes me **horny**.* • *Cette robe me fait bander.*

hot *adj.*

1 CHAUDE, SEXY

*—Baby, you are **hot**!* • *Bébé, tu es sexy !*

2 VOLÊ, TOMBÉ DU CAMION

*—Be careful, these goods are **hot**. Do you know what I mean?* • *Attention, ces affaires m'ont l'air d'être tombées du camion, tu vois ce que je veux dire ?*

3 SUPER, GÉNIAL

*—This place is **hot**, man!* • *Cet endroit est génial, mec !*

hot-desking *n.*

SYSTÈME DE PARTAGE DE BUREAUX DANS CERTAINS LIEUX DE TRAVAIL

*—No, you don't have a workspace for yourself. You have to share. We have a **hot-desking** policy in this company.* • *Non, vous n'avez pas d'endroit où travailler qui vous soit réservé. Nous pratiquons le partage des bureaux dans cette boîte.*

hottie *n.*

CANON, BOMBE SEXUELLE

*—He's such a **hottie**.* • *Ce mec est canon.*

hump *v., n.*

1 SE FAIRE METTRE / BAISER

*—We got **humped** 6-0!* • *On s'est fait mettre 6-0 !*

2 BAISER *vulg.*

*—We **humped** all night.* • *On a baisé toute la nuit.*

3 AVOIR LE CAFARD / LE MORAL À ZÉRO

*—He's got the **hump**.* • *Il a le cafard !*

humungous *adj.*

ÉNORME, GIGANTESQUE

*—I had this **humungous** sandwich for lunch.* • *J'ai mangé un énorme sandwich au déjeuner.*

hung up *adj.*

AVOIR QQN DANS LA PEAU, ÊTRE ACCRO

*—Madonna: I'm **hung up**, I'm hung up on you.* • *Madonna : Je t'ai, je t'ai dans la peau.*

hunk *n.*

BEAU MEC

*—Beckham's such a **hunk**!* • *Beckham est un super beau mec !*

HIT THE PAUSE BUTTON. I'M GOING TO THE JOHN.

METS-LA EN VEILLE DEUX SECONDES. JE VAIS AUX TOILETTES.

ice *n., v.*

1 DIAMANTS, BLING-BLING

*—Nice **ice,** dudette!* • *Tes diamants brillent, ma belle !*

2 DROGUE SYNTHÉTIQUE

*—I need a fix. Got any **ice?*** • *Je suis en manque. T'aurais pas des amphéts ?*

3 BUTÉ, ASSASSINÉ, LIQUIDÉ
Très utilisé dans les séries policières.

*—Detective: What happened to him? //Cop: He got **iced.*** • *L'inspecteur : Que lui est-il arrivé ? // Le policier : Il s'est fait buter.*

ice cold *n.*

MOUSSE, BIÈRE

*—Gimme an **ice cold.*** • *File-moi une mousse bien fraîche.*

idiot box *n.*

TÉLOCHE, TÉLÉVISION

*—I'm gonna veg out in front of the **idiot box** tonite.* • *Je vais me légumer devant la téloche ce soir.*

idk *acron.*
(I don't know)

AUCUNE IDÉE

*—sms 1: CU 2nite? //sms 2: **idk.*** • *SMS 1: On se voit ce soir ? // SMS 2 : Aucune idée.*

iffy *adj.*

DOUTEUX, SUSPECT

*—Be careful! He looks a bit **iffy.*** • *Fais attention ! Il m'a l'air un peu douteux.*

ill *adj., v.*

1 TROP FORT, PUTAIN DE

*—That's **ill,** dude!* • *C'est trop fort, mec !*

2 RELAX

*—Hey! I'm giving you a licence to **ill,** brother.* • *Relax, mon frère ! T'as ma permission.*

I'm friends with that *expr.*

OK, ÇA ME VA, D'ACCORD

*—Girlfriend: It's over! //Boyfriend: **I'm friends with that.*** • *La petite amie : C'est fini entre nous ! // Le garçon : OK, ça me va.*

I'm over it *expr.*

ÇA M'EST ÉGAL, JE M'EN SUIS REMIS

*—Your ex has just walked in. //**I'm over it.** • Ton ex vient d'arriver. // Ça m'est égal.*

I'ma [USA] *abrév.*
(I am going to)

J'VAIS

*—**I'ma** whip your ass! • J'vais t' casser la gueule !*

imo *acron.*
(in my opinion)

À MON AVIS, PERSONNELLEMENT

*—sms 1: The new fcbk? //sms 2: **imo** gr8. • SMS 1: C'est comment le nouveau Facebook ? // SMS 2 : A mon avis, super.*

in bed *expr.*

ÊTRE ALLIÉS / COMPLICES / DE MÊCHE

*—Director: Now that Sony and Sanyo are **in bed**, we're up against it. • Le directeur : Maintenant que Sony et Sanyo se sont alliés, nous sommes dans de beaux draps.*

innit? [UK]
(isn't it?)

N'EST-CE PAS ?

*—It's cold in here, **innit?** • Il fait froid ici, n'est-ce pas ?*

inside job *n.*

COUP MONTÉ PAR QUELQU'UN DE L'INTÉRIEUR

*—All the evidence points to an **inside job.** • Tous les indices suggèrent un coup monté de l'intérieur.*

inside man *n.*

INFORMATEUR, CONTACT

*—Where did you get that info? // From my **inside man.** • D'où as-tu eu l'info ? // De mon informateur.*

inter-robbed *adj.*

ESCROQUÉ, ARNAQUÉ

*—I got **inter-robbed** before I could cancel my cards. • J'ai été escroqué sur le net avant d'avoir eu le temps d'annuler mes cartes bancaires.*

itch for *v.*

MOURIR / CREVER D'ENVIE POUR QUELQUE CHOSE

*—I'm **itching for** it to happen. • Je meurs d'envie que quelque chose se passe.*

itchy feet *adj.*

AVOIR LA BOUGEOTTE

*—I'm getting **itchy feet.** I need a new challenge. • J'ai la bougeotte. J'ai besoin de faire quelque chose de nouveau.*

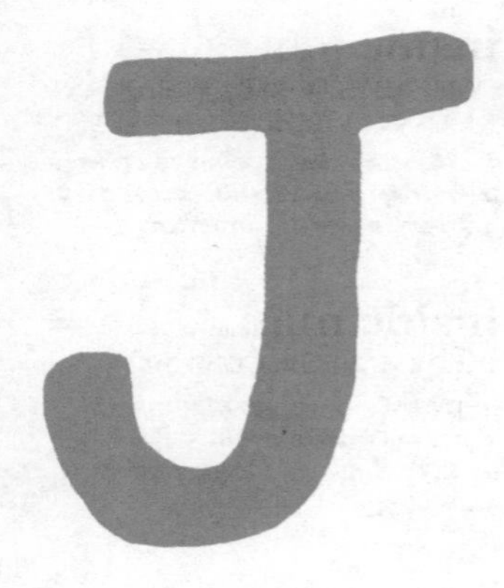

jack *v., n.*

1 TAXER, VOLER, PIQUER

—My jacket was ***jacked*** *at the disco. • Quelqu'un m'a taxé ma veste en boîte.*

2 THUNE, FRIC, BLÉ

—Got no ***jack,*** *man! • J'ai pas de thunes, mec !*

3 [USA] CIGARE

—Got a ***jack,*** *bud? • T'aurais pas un cigare, mon pote ?*

4 jack in *v.*

ABANDONNER, LÂCHER

—I've just ***jacked*** *my job* ***in.*** *• Je viens de laisser tomber mon boulot.*

5 jack off *v. vulg.*

SE BRANLER, S'ASTIQUER

—Housemate 1: What's Jim doing in there? // Housemate 2: Oh, he's probably ***jacking off*** *again. • Coloc' 1 : Qu'est-ce qu'il fout dans les toilettes, Jim ?// Coloc' 2 : Il doit être encore en train de se branler.*

6 jack shit *n.*

RIEN DE RIEN, ZÉRO

—Hey, meatball! You don't know ***jack shit!*** *• Eh, tu n'en sais rien de rien, pauvre con !*

7 jackass *n.*

CONNARD, IMBÉCILE

—What are you doing, ***jackass?*** *• Qu'est-ce que tu fais, connard ?*

jam *v.*

1 FAIRE UN BŒUF (MUSICAL)

—They're ***jamming*** *in the bar tonite. Wanna play? • Ils font un bœuf au bar, ce soir. Tu veux venir jouer ?*

2 ÉCOUTER DE LA MUSIQUE

—Come over to mine tonite for some ***jamming.*** *• Viens chez moi ce soir écouter de la musique.*

3 SE LA COULER DOUCE, SE DÉTENDRE, ÊTRE TRANQUILLE AVEC SES POTES

—We're just ***jamming*** *tonite at Pete's place. Wanna come? • On va aller se la couler douce chez Pete ce soir. Tu veux venir ?*

jammy *adj.*

CHANCEUX, QUI A DU BOL

—You ***jammy*** *git! • Tu as du bol, mon ami !*

jet *v.*

SE CASSER, PARTIR, Y ALLER

*—Ok, guys! Let's **jet**. • Ok, les mecs, on se casse !*

j/k *acron.*

(just kidding)

JE PLAISANTE / DÉCONNE

*—sms 1: FU! // sms 2: **j/k** • SMS 1: Je t'emmerde ! // SMS 2 : Je plaisante.*

Jock [UK] *n.*

1 Utilisé par les Anglais pour désigner les Écossais.

*—Hey, **Jock**! Where's your kilt? • Eh, Jock! Il est passé où ton kilt ?*

2 Jock rock *n.*

Désigne le rock écossais en général.

*—Teenage Fanclub and two other **Jock rock** bands are in town. • Teenage Fanclub et deux autres groupes écossais sont de passage.*

joe sixpack [USA] *n.*

Désigne un stéréotype américain qui représente l' « américain moyen », blanc, travailleur, n'ayant pas fait d'études supérieures, grand amateur de bière (d'où le nom « sixpack » - pack de six canettes) et de retransmissions sportives. C'est la petite classe moyenne de plus en plus oubliée par les politiques et dont le vote est devenu de plus en plus fluctuant et important dans les éléctions américaines ces dernières années.

john [USA] *n.*

TOILETTES, W-C, CHIOTTES

*—Hit the pause button. I'm going to the **john**. • Mets-la en veille deux secondes, je vais aux toilettes.*

johnny [UK] *n.*

CAPOTE, PRÉSERVATIF

*—No **johnny**, no action. • Pas de capote, pas de sexe.*

joint *n.*

1 SPLIFF, JOINT

*—Pass the **joint**, dude. You're hogging it. • Fais tourner le spliff et arrête de bogarter.*

2 ENDROIT, LIEU, CAFÉ/TROQUET

*—I really like this **joint**. • J'aime bien cet endroit.*

jugs *n. pl.*

NICHONS, LOLOS, SEINS

*—Look at those **jugs**! They're humungous! • Mate moi ces nichons ! Ils sont énormes !*

IL EXISTE PLEIN DE MOTS POUR DÉSIGNER LES "NICHONS": BOOBS, HOOTERS, JUBBLIES, MAMS, TITS...

DON'T KNOCK IT IF YOU HAVEN'T TRIED IT • NE CRITIQUE PAS AVANT D'AVOIR ESSAYÉ

kick off *v.*

COMMENCER, COUP D'ENVOI

*—When does the party **kick off**? • À quelle heure commence la fête ?*

kickin' *adj.*

MORTEL, PUTAIN DE

*—This party is **kickin'**, man. • Cette fête est mortelle, mec.*

kid *v.*

PLAISANTER, CHARRIER, BLAGUER

*—I'm just **kidding**. • Je te charrie !*

killer, killa *adj.*

DÉCHIRER, PUTAIN DE

*—That's a **killa** tune. • Cette chanson déchire.*

kinky *adj.*

PERVERS, OBSCÈNE, SALÉ

*—I heard he likes it **kinky**. • J'ai entendu dire qu'il a des goûts assez pervers.*

kip [UK] *v., n.*

1 DORMIR

2 ROUPILLON, SIESTE

*—I'm gonna have a **kip**. • Je vais piquer un petit roupillon.*

3 LIT, PIEU, PLUMARD

*—I'm going to my **kip**. • Je vais au pieu.*

kit *acron.* (keep in touch)

RESTER EN CONTACT

*—sms 1: c u l8a || sms 2: **kit** • SMS 1 : Á bientôt. || SMS 2 : Restons en contact.*

kit *n.*

BARDA

*—Get your **kit** off! • Débarasse-toi de ton barda !*

klutz *adj.*

BÊTA, MALADROIT, GLAND

*—You **klutz**! You've ballsed it up again. • Quel bêta, tu as encore tout foiré !*

knackered *adj.*

CREVÉ, ÉPUISÉ, MORT

*—I'm **knackered.** • J'suis crevé.*

knob *n., v.*

1 GLAND, NŒUD, BITE *vulg.*

*—Knob down the disco: Do you wanna see my **knob**? // Girl: Piss off! • Un pauvre type en boîte : Tu veux voir mon gland ? // La fille : Va te faire foutre !*

2 IDIOT, IMBÉCILE, PAUVRE TYPE

*—You **knob**! What did you do that for? • Imbécile ! Pourquoi t'as fait ça ?*

3 TIRER, BAISER *vulg.*

*—Are you **knobbing** that bird from accounts? • T'es en train de tirer la nana de la compta ?*

knock *v.*

1 CRITIQUER, DÉBINER

*—Don't **knock** it if you haven't tried it. • Ne critique pas avant d'avoir essayé.*

2 knock off [UK] *v.*

PIRATER, CONTREFAIRE, FALSIFIER

*—I can **knock off** a few copies before it hits the streets. • Je peux en faire quelques copies avant que ça ne sorte.*

3 knock up *v.*

ENGROSSER, METTRE EN CLOQUE

*—I see her from next door is up the duff again. Who **knocked** her **up** this time? • Je vois que la voisine est encore enceinte. Qui l'a mise en cloque cette fois-ci ?*

knuckle down *v.*

SE PRENDRE EN MAIN, SE METTRE AU TRAVAIL, S'Y METTRE

*—Johnson, just **knuckle down** and finish the job ASAP. • Johnson, mets toi au travail et termine s'il te plaît.*

knucklehead *n.*

CRÉTIN, EMPOTÉ, NOUILLE

*—You **knucklehead**! You always balls it up. • Espèce d'empoté, tu fous toujours tout en l'air.*

kthxbye *acron.*

(ok thanks bye)

OK, MERCI, SALUT

*—sms 1: C U soon // sms 2: **KTHXBYE** • SMS 1 : À plus. // SMS 2 : Ok, merci, salut.*

kudos *n.*

GLOIRE À TOI, FÉLICITATIONS

*—Level 20? **Kudos** 2u. • T'es arrivé au niveau 20 ? Gloire à toi.*

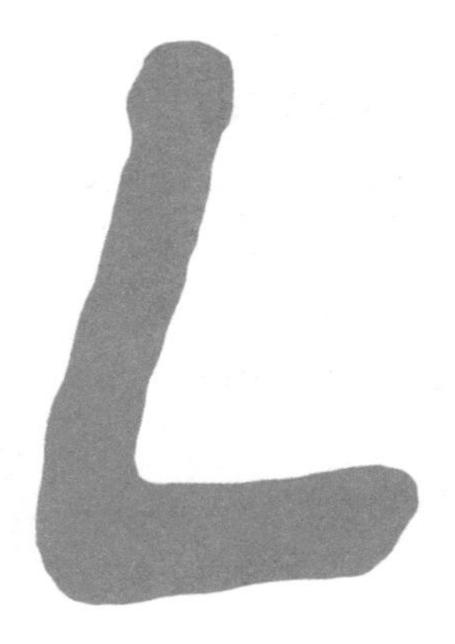

label whore *n.*

ESCLAVE DES MARQUES

—*Laura: Check my new adidas trainers. // Dakota: You're such a* ***label whore!*** • *Laura : Mate un peu mes nouvelles adidas. // Dakota : T'es vraiment esclave des marques !*

lad mag *n.*

REVUE POUR HOMMES / DE CHARME

—*Friend: What's that? // Sue: Oh, it's just one of those* ***lad mags.*** • *L'ami : Qu'est-ce c'est ? // Sue : Rien, juste une de ces revues pour hommes.*

lads [UK] *n.*

LES COPAINS, LES POTES

—*Girlfriend: Where are you going? // Boyfriend: Oh, just out with the* ***lads.*** • *La petite amie : Où vas-tu ? // Le garçon : Je sors avec les copains.*

lame *adj.*

NOUILLE, NUL, PATHÉTIQUE

—*That's a* ***lame*** *excuse.* • *C'est une excuse vraiment nouille !*

laters [UK] *expr.*

À PLUS, SALUT

—*Jim: Right, guys. I'm off. // The guys:* ***Laters!*** • *Jim : Bon les gars, j'y vais. // Les potes : À plus !*

leak (take a) *loc.*

PISSER UN COUP

—*I'm gonna* ***take a leak*** *first.* • *Je vais pisser un coup d'abord.*

leet

Le **leet** ou le **leet speak** est un type d'écriture utilisé sur l'internet qui mélange les lettres, les numéros et les symboles pour constituer une sorte de code. Le principe est d'utiliser des caractères graphiquement voisins des caractères usuels. Par exemple : le **5** à la place du S, le **7** à la place du T, le **9** à la place du G, etc. Ce sont les **933I<s** (**geeks**) et les **(-)4xx0rz** (**hackers**) qui s'en servent le plus.

lifer *n.*

QUI FAIT LE MÊME TRAVAIL DANS LA MÊME BOÎTE TOUTE SA VIE, À PERPÈTE

—*Is old John still there? // Yeah, he's a* ***lifer.*** • *Et ce vieux John y est toujours ? // Oh oui, il y sera pour la vie.*

lift *v.*

1 SE FAIRE ARRÊTER / EMBARQUER

*—I got **lifted** for selling knocked off Guccis. • Je me suis fait arrêter pour avoir vendu des faux Gucci.*

2 PIQUER, VOLER, CHOURRER

*—Who **lifted** my MP3? • Qui m'a piqué mon MP3 ?*

light up *v.*

FUMER

*—You can't **light up** till you're outside the building. • Vous ne pouvez pas fumer avant d'avoir quitté le bâtiment.*

like

Très utilisée en expression orale, presque comme une ponctuation, surtout entre jeunes américains.

*—I'm **like**, you can't do that, and he was **like**, are you sure?, so, I'm **like**, yeah! • Et moi, j'étais genre, tu peux pas faire ça, et lui il était genre, t'es sûre ?, et moi j'étais genre, ben ouais !*

lip service (pay) *loc.*

PARLER SANS AGIR / SANS CONSÉQUENCE

*—We will not tolerate governments who only **pay lip service** to this agreement. • Nous n'accepterons pas un gouvernement qui ne fait que parler sans agir à propos de cet accord.*

lmfao *acron.*

(laughing my fat arse off)

LITTÉRALEMENT : RIRE À EN PERDRE MON GROS CUL

lmtao *acron.*

(laughing my thin arse off)

RIRE A EN PERDRE MON PETIT CUL, ÊTRE PÉTÉ DE RIRE

lmaao *acron.*

(laughing my average arse off)

RIRE A EN PERDRE MON CUL NORMAL, ÊTRE PÉTÉ DE RIRE

Traductions littérales d'acronymes qui servent en SMS et Tchats de « **I laughed my ass off** ». Nuancent le sens de l'expression en précisant la taille du cul de celui /celle qui est mort de rire.

loaf [UK] *n.*

TÊTE, CERVEAU

*—Use your **loaf**, mate! • Sers-toi un peu de ta tête, mon pote !*

lol *acron.*

(laughing out loud)

MORT DE RIRE (MDR), LOL, HA, HA, HA !

*—sms 1: U R dfcd! // sms 2: **LOL** • SMS 1: Je t'ai viré de mon Facebook ! // SMS 2 : MDR.*

loony *n.*

TARÉ, FOU, CINGLÉ

—*You're a **loony**. You're not coming out with us again!* • *T'es complètement taré. Tu ne sors plus avec nous !*

loopy *adj.*

FÊLÉ, DINGO, TAPÉ, TARÉ

—*This guy's real **loopy**. He's freaking me out. Let's go!* • *Ce mec est complètement fêlé. Il me fout les jetons. Cassons-nous !*

lousy *adj.*

POURRI, NASE, MERDIQUE

—*And all I got was this **lousy** T-shirt.* • *La seule chose qu'elle m'ait rapportée, c'est ce T-shirt pourri.*

lovely jubbly *interj.*

SUPER, GÉNIAL, PARFAIT

—*Julian: Here's an ice cold. // Lindsay: **Lovely jubbly**!* • *Julian : Tiens, prends une bière. // Lindsay : Super !*

lowdown *n.*

SECRET, TUYAU, METTRE AU COURANT

—*Keep this on the **lowdown**. Ok?* • *Garde ça pour toi, d'accord ?*

low-fi *adj.*

Terme qui signifie de la musique enregistrée avec peu de technologie (opposé à high-fi); utilisé également en français.

—*The first album was a **low-fi** classic. But now they've sold out.* • *Le premier album était un classique du low-fi. Mais il n'est plus disponible.*

low-key *adj.*

TRANQUILLE, DISCRET, MODÉRÉ

—*Oh, it's just gonna be a **low-key** celebration. Just family and a few friends.* • *Ce sera une petite fête tranquille avec de la famille et quelques amis.*

lylab *acron.*

(love you like a brother)

JE T'AIME COMME UN FRÈRE, T'ES UN FRÈRE !

—*sms 1: I miss U // sms 2: **lylab**.* • *SMS 1 : Tu me manques. // SMS 2 : Je t'aime comme un frère.*

lylas *acron.*

(love you like a sister)

JE T'AIME COMME UNE SŒUR, T'ES UNE SŒUR !

—*sms 1: I miss U // sms 2: **lylas**.* • *SMS 1 : Tu me manques. // SMS 2 : Je t'aime comme une sœur.*

main *adj.*
PRÉFÉRÉ, FAVORI

*—You're my **main** man!* • *T'es mon pote préféré !*

make my day *expr.*
VAS-Y, ESSAIE UN PEU

*—You want a fight? **Make my day!*** • *Tu veux te battre ? Vas-y, essaie un peu !*

make out *v.*
SE PELOTER, SE TRIPOTER

*—Let's **make out!*** • *On se pelote ?*

manky *adj.*
TORDU, SALE, MOCHE, CRADO

*—You've got a **manky** mind* • *T'as vraiment un esprit tordu.*

mardy *adj.*
GROGNON, RONCHON

*—She's a **mardy** little cow.* • *Elle est vraiment grognon cette nana.*

mashed *adj.*
PERDRE LA TÊTE, FOU, DINGUE

*—Leave him where he is. He's **mashed.** He'll get over it.* • *Laisse-le là. Il a perdu la tête. Il s'en remettra.*

mate [UK] *n.*
POTE, AMI, POTEAU

*—Alright, **mate?*** • *Ça va, mon pote ?*

measly *adj.*
MISÉRABLE, MINABLE, INSIGNIFIANT, DE RIEN DU TOUT

*—I get this **measly** wage and that fat cat's rolling in it.* • *Je gagne un salaire de misère alors que ce gros lard gagne un pognon dingue.*

meatspace *n.*
LE MONDE RÉEL, LE MONDE PHYSIQUE

Dans le monde virtuel du cyberespace, on se réfère au monde réel par ce terme **meatspace** (« espace de la chair »).

*—I feel way more comfortable in Second Life than in **meatspace.*** • *Je me sens beaucoup plus à l'aise dans Second Life que dans le monde réel.*

meaty *adj.*

QUI DÉCHIRE, COOL

—*You'll like this next track. It's really* ***meaty****.* • *Tu vas aimer cette prochaine chanson. Elle déchire.*

mega *adj.*

SUPER, MÉGA, HYPER

—*I'm saving up for a* ***mega*** *set of decks.* • *Je fais des économies pour un super équipement hi-fi.*

mental *adj.*

1 TARÉ, FOU, CINGLÉ

—*You're* ***mental!*** • *T'es taré !*

2 PÉTER LES PLOMBS (TO GO MENTAL)

—*Martha went* ***mental*** *when she found out.* • *Martha a peté les plombs quand elle a appris la nouvelle.*

3 INTENSE, GÉNIAL, DÉLIRE

—*Great, innit? //****Mental!*** • *Super, tu trouves pas ? // Génial !*

mickey-mouse *adj.*

CHARLOT, COMIQUE, RISIBLE, MICKEY

—***Mickey-mouse*** *referees are ruining this game.* • *Les arbitres sont des Charlots. Ils ont ruiné le match.*

military precision *loc. adv.*

HAUTE PRÉCISION, PRÉCISION MILITAIRE, À LA PERFECTION

—*He always goes about his business with* ***military precision****.* • *Il a toujours dirigé ses affaires avec une haute précision.*

minger *n.*

NASES, MOCHES, LOSERS

—*This place is full of* ***mingers****. Let's go!* • *Cet endroit est rempli de nases. Cassons-nous !*

minted *adj.*

BLINDÉ, BOURRÉ DE THUNES, PLEIN AUX AS

—*The drinks are on me. I'm* ***minted*** *this week.* • *C'est moi qui invite. J'suis plein aux as cette semaine.*

mmorpg *acron.* (massively-multiplaying online role-playing game)

JEU DE RÔLES EN LIGNE POUR JOUEURS MULTIPLES

—*Little brother: What's WoW? // Big brother: It's "World of Warcraft" and it's a* ***mmorpg****. Now, could you get out of my room, please?* • *Le petit frère : C'est quoi, WoW ? // Le grand frère : Ça veut dire "World of Warcraft". C'est un jeu de rôle en ligne à joueurs multiples. Sors de ma chambre maintenant, s'il te plaît.*

mockumentary *n.*

FAUX DOCUMENTAIRE, PARODIQUE

—*"This is Spinal Tap" is a* ***mockumentary*** *about the fictional heavy-metal band Spinal Tap.* • *"This is Spinal Tap" est un faux documentaire sur un faux groupe de rock nommé Spinal Tap.*

mofo *acron.* (motherfucker)

FILS DE PUTE

—*Right, you* ***mofo****! Get out of here!* • *Casse-toi, fils de pute !*

mojo *n.*

A l'origine, le terme signifiait « envoûtement », « pouvoir magique » ou « sous le charme ». Aujourd'hui, on s'en sert plutôt pour signifier sex appeal, fluide, savoir-faire ou talent. Certains français se servent directement du mot «mojo» également.

—*Has he lost his* ***mojo****?.* • *A-t-il perdu son fluide ?*

monkey (brass) [UK] *adj.*

FROID DE GUEUX / DE CANARD

—*It's* ***brass monkey*** *weather outside. I'm staying in.* • *Il fait un froid de gueux dehors. Je reste au chaud.*

moon *v.*

MONTRER SES FESSES, SON CUL

—*Sparky* ***mooned*** *them from the passenger window.* • *Sparky leur a montré son cul par la fenêtre de la voiture.*

motor *n.*

CAISSE, VOITURE, BAGNOLE

—*Hey, I can give you a lift in my* ***motor****.* • *Je peux t'emmener dans ma caisse.*

mouth off *v.*

1 OUVRIR SA GRANDE GUEULE

—*Well, if you keep* ***mouthing off*** *all the time, nobody will tell you anything.* • *Si tu continues à ouvrir ta grande gueule, personne ne te dira plus rien.*

2 SE VANTER, CRÂNER

—*He keeps* ***mouthing off*** *about his new car, his new iPhone, his new anything.* • *Il n'arrête pas de se vanter de sa nouvelle voiture, de son nouvel iPhone, de tous ses nouveaux trucs.*

muck in *v.*

Y METTRE DU SIEN, DONNER UN COUP DE MAIN

—*Right, everybody* ***muck in*** *and we'll finish this today.* • *Allez, si tout le monde y met du sien, on réussira à finir aujourd'hui.*

muck out *v.*

NETTOYER, RANGER, FAIRE LE MÉNAGE

—*I know it's a bummer but we've*

*got to **muck out** the flat before we leave. • Je sais que c'est chiant mais il va falloir nettoyer la maison avant de partir.*

muck up *v.*

FOIRER, RUINER, SALOPER

*—I've **mucked** it **up** again. Damn it! • J'ai encore tout foiré. Merde !*

mug *n.*

CRÉDULE, PERSONNE NAÏVE

*—You **mug**! She's been two-timing you for ages. • T'es vraiment trop crédule, ça fait longtemps qu'elle te trompe !*

mull over *v.*

RÉFLÉCHIR

*—Ok, no hurry. **Mull** it **over** and give me your answer on Monday. • On n'est pas pressé. Prenez le temps d'y réfléchir et donnez-moi votre réponse lundi.*

mullet *n.*

Une coupe de cheveux « **mulet** » est courte devant et longue derrière. C'est un style généralement considéré comme étant assez « beauf », « **petit blanc** » tout en étant assez populaire chez les joueurs de foot. Cette coupe porte d'autres noms, notamment : **business in the front, party in the back**.

*—Nice **mullet**! • Sympa, ta coupe mulet !*

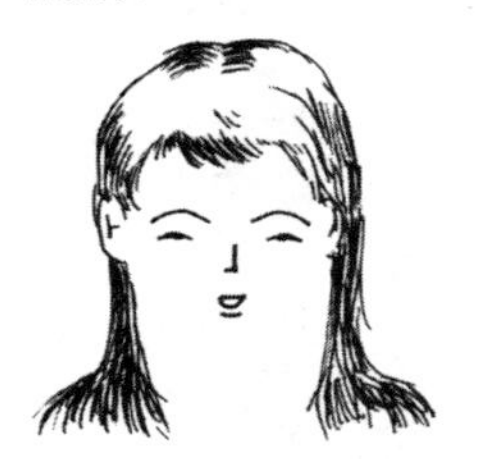

munchies *n.*

AVOIR LES CROCS, CREVER LA DALLE, FRINGALE

*—I've got the **munchies**. What have you got in the fridge? • J'ai les crocs ! Qu'est-ce que t'as dans ton frigo ?*

muppet *n.*

IDIOT, ANDOUILLE, IMBÉCILE

*—You **muppet**! • Idiot !*

muscle in *v.*

S'IMPOSER, JOUER DES COUDES

*—I was doing OK till he **muscled in** and took her away. • Tout allait bien jusqu'au moment où il s'est imposé et l'a emmenée avec lui.*

mush *n.*

GUEULE, TRONCHE

*—Do you want a smack in the **mush**? • Tu veux t'en prendre une dans la gueule ?*

n00b, noob, newbie *n.*

DÉBUTANT (DANS LE MONDE DES INTERNAUTES)

—*You've been owned,* ***n00b****!* • *Je t'ai eu, pauvre débutant !*

naff *adj.*

1 NASE, DÉMODÉ, NUL

—*This game's really* ***naff****.* • *Ce jeu est vraiment nase.*

2 naff off *interj.*

CASSE-TOI, DÉGAGE

—*Knob down the disco: Hello! // Girl:* ***Naff off****!* • *Le mec en boîte : Salut ! // La nana : Casse-toi !*

nancy boy *n.*

CHOCHOTTE, PÉDÉ

—*Hey,* ***nancy boy****!* • *Eh, chochotte !*

narked *adj.*

EN ROGNE, MÉCONTENT

—*What are you so* ***narked*** *about?* • *Pourquoi es-tu en rogne ?*

neat [USA] *adj.*

SYMPA, CHOUETTE

—*It would be* ***neat*** *to learn about you.* • *Ce serait sympa d'en savoir plus sur toi.*

nerd *n.*

GEEK, PINGOUIN, NEUNEU

—*Green Goblin: I've conquered Africa in World Conquest! // Girlfriend: You're a* ***nerd****. And, your name's not Green Goblin, it's John. And you're not a warrior, you're my boyfriend.* • *Le Lutin vert : Je viens de prendre l'Afrique dans La Conquête du Monde ! // Sa copine : T'es vraiment un geek ; tu ne t'appelles pas Lutin Vert mais John ; et tu n'es pas un guerrier mais mon petit ami.*

netiquette *n.*

NETIQUETTE

Se réfère aux règles de bonne conduite sur l'Internet – les manières et les formes de communication considérées comme étant acceptables par la communauté des usagers.

netizen *n.*

CITOYEN DU NET

networking *n.*

SE FAIRE UN RÉSEAU,
FAIRE DES CONTACTS

*—What's Johnson doing talking to that minger? // He's **networking**... I guess.* • *Pourquoi Johnson parle-t-il avec ce nase ? // Il se fait un réseau, j'imagine.*

nick *v., n.*

1 VOLER, PIQUER

*—Who **nicked** my mp3?* • *Qui m'a piqué mon MP3 ?*

2 ÊTRE ARRÊTÉ, SE FAIRE PRENDRE / PINCER

*—You're **nicked!*** • *Vous êtes pris !*

3 POSTE (DE POLICE), CABANE, TROU

*—Right, sunshine. Let's take you down the **nick**.* • *Ok, beauté, on vous emmène au poste.*

4 ÉTAT, CONDITION

*—It's only had two careful lady owners and it's in good **nick** for its age.* • *Elle n'a eu que deux propriétaires auparavant et elle est en très bon état pour son âge.*

nickle-and-dime *adj.*

BAZAR, SOLDEUR, « TOUT-À-UN-EURO »

*—You'll get them cheaper down the **nickle-and-dime** store.* • *Ça te coûtera moins cher dans un bazar.*

nifty *adj.*

SYMPA, COOL, PRATIQUE

*—That's a **nifty** laptop.* • *Il est sympa ton ordinateur portable.*

nip *n.*

TÉTON, MAMELON

*—Did you see Janet's **nips** on TV last night?* • *T'as vu les tétons de Janet (Jackson) à la télé hier soir ?*

no brainer *n.*

FASTOCHE, ÉVIDENT

*—Deciding to sign for a club of this size and stature was a **no brainer**.* • *La décision de signer avec un club de cette taille et de cette réputation n'a pas été compliquée à prendre.*

no can do *expr.*

COMPTE PAS SUR MOI, PAS POSSIBLE

*—Can you phone the school and pretend you're my mum? // **No can do.*** • *Tu pourrais appeler l'école et te faire passer pour ma mère ? // Compte pas sur moi.*

no show *n.*

NE PAS SE PRÉSENTER / VENIR

*—The guest was a **no show**.* • *L'invité ne s'est pas présenté.*

no way *expr.*

HORS DE QUESTION

*—There's **no way** I'm gonna do it.* • *Il est hors de question que je fasse ça.*

nookie *n.*

1 CUL, SEXE, BAISE

—*No **nookie** till you say sorry.* • *Pas de cul jusqu'à ce que tu t'excuses.*

2 nookie badge *n.*

SUÇON

—*Is that a **nookie badge** on your neck?* • *C'est un suçon que tu as dans le cou ?*

nosh [UK] *n.*

BOUFFE, NOURRITURE

—*I'm going to the greasy spoon for some **nosh**. Wanna come?* • *Je descends au boui-boui me chercher de la bouffe. Tu viens ?*

not in my book *expr.*

PAS CHEZ MOI

—*You don't do that! **Not in my book!*** • *Ça ne se fait pas, pas chez moi, en tout cas !*

nowt *n.*

NE... RIEN, QUE DALLE

—*I don't owe nobody **nowt**.* • *Je ne dois rien à personne.*

En anglais parlé, il est très courant d'utiliser un double négatif, même si ce n'est pas grammaticalement correct.

nsa *acron.*

(no strings attached)

SANS CONDITION,
SANS OBLIGATION

—*sms: fncy a jb? **NSA**.* • *SMS : Besoin d'un boulot ? C'est sans condition.*

number one *n.*

BIBI (AU SENS DE "MOI")

—*The first piece of advice is always look after **number one**.* • *Mon principal conseil est de veiller sur bibi en premier.*

numpty *n.*

ANDOUILLE, IDIOT, IMBÉCILE

—*Get out of here, you **numpty**!* • *Casse-toi d'ici, andouille !*

nut *n., v.*

1 MÉNINGES, CABOCHE

—*Use your **nut**, Johnson.* • *Sers-toi de tes méninges, Johnson.*

2 DONNER UN COUP DE BOULE

—*Zidane has just **nutted** the Italian.* • *Zidane vient de mettre un coup de boule à l'Italien.*

nutter *n.*

TARÉ, FOU, CINGLÉ

—*Your boyfriend's a **nutter**. You know that, don't you?* • *Ton copain est un taré. Tu le sais, ça, n'est-ce pas ?*

od *n., v.*
(overdose)

SE FAIRE UNE OVERDOSE, SE GAVER

—*We **OD**'d on movies last night.* • *On s'est fait une overdose de films hier soir.*

odds-on *adj.*

(PARI) SÛR, JOUER GAGNANT

—***Odds-on** I win.* • *C'est quasi-sûr que je gagne.*

off the hook *adj.*

1 LIBÉRÉ, INNOCENTÉ

—*Right, Johnson. You're **off the hook**. Some other muppet has owned up to it.* • *Ok, Johnson, t'es libre. Un autre type a reconnu (le délit).*

2 [USA] D'ENFER, GÉNIAL, EXCELLENT

—*The party was **off the hook**.* • *La fête était d'enfer.*

okey-dokey *expr.*

D'ACCO-DAC, D'ACCORD

Version encore plus informelle que le **OK** mondialement connu et utilisé.

—*Boss: I want it on my desk by this afternoon. // Johnson: **Okey-dokey**.* • *Le patron : J'aimerais que ce soit terminé cet après-midi. // Johnson : D'acco-dac.*

old-school *adj.*

DE LA VIEILLE ÉCOLE, RINGARD

—*I can tape it for you. // Tape it? Don't you mean burn it? You're so **old school**.* • *Je peux te l'enregistrer, si tu veux. // L'enregistrer ? Tu veux dire graver ? T'es vraiment de la vieille école.*

omg *acron.*
(oh my god!)

OH MON DIEU !

—*sms 1: $1000 4U. //sms 2: **OMG**!* • *SMS 1: 1000 $ pour toi. // SMS 2 : Oh, mon Dieu !*

on ice *loc. adv.*

EN STAND-BY, EN ATTENTE

—*Journalist: What about some European gigs? //Jay Z: Well, touring's **on ice** at the mo'.* • *Le journaliste : Et la tournée européenne ?// Jay Z : Ben, la tournée a été mise en stand-by pour le moment.*

on the blink *loc. adv.*

EN PANNE

—*The telly's **on the blink** again.* • *La télé est de nouveau en panne.*

on the cheap *loc. adv.*

POUR PAS CHER

—Daniel: Where can I get the dough to do all that? // Lee: I know a geezer who can get it done ***on the cheap****.* • *Daniel : Où est-ce que je vais trouver le fric pour payer tout ça ? // Lee : Je connais un mec qui peut te le faire pour pas cher.*

on the fly *loc. adv.*

AU BLACK, AU NOIR

—He's working ***on the fly*** *and still drawing dole money.* • *Il travaille au black tout en continuant de toucher les allocs du chômage.*

on the house *loc. adv.*

OFFERT PAR LA MAISON

—The drinks are ***on the house****.* • *Les boissons sont offertes par la maison.*

one-cheek bench sneak *n.*

L'art de lâcher discrètement un pet, sans attirer de l'attention.

oomph *n.*

ÉNERGIE, PUNCH

—Come on, Johnson! Give it a bit of ***oomph****!* • *Allez, Johnson ! Mettez-y un peu d'énergie !*

out *v., adj.*

1 Révélation d'informations confidentielles et secrètes sur une personne contre sa volonté. Le résultat est, pour celle-ci, une nuisance (une perte de dignité, de statut, d'amis, de famille ou d'argent).

ÊTRE DÉNONCÉ / DÉCOUVERT

—They were ***outed*** *as terrorist collaborators on that web page.* • *Ils ont été dénoncés comme terroristes sur le page web de ce site.*

2 CE QUI EST "OUT", DÉMODÉ CE QUI EST "IN"

—No, darling! Not that one. That colour is ***out*** *this summer.* • *Non, ma chérie, pas celle-là. La couleur est totalement out cet été.*

out of order *expr.*

DÉPASSER LES LIMITES, INACCEPTABLE

—You called her what? You're ***out of order****, mate. Step outside.* • *Tu l'a traité de quoi ? Tu as dépassé les limites mon vieux, sors d'ici.*

owned *adj.*

ÊTRE BATTU, DÉTRUIT

—You've been ***owned****, n00bie!* • *Tu as été battu, mon p'tit !*

own up to *v.*

ADMETTRE, RECONNAÎTRE

—Johnson, you're off the hook 'cos I ***owned up to*** *it. You owe me a pint.* • *Johnson, tu es tiré d'affaire car je viens d'admettre que c'était moi. Tu me dois une bière.*

THAT JOKE ISN'T FUNNY
ANYMORE. IT'S SO PLAYED OUT!
• CETTE BLAGUE N'EST PLUS
TRÈS DRÔLE. ON L'A TROP ENTENDUE.

patsy *n.*

1 DUPE, PIGEON

*—I'm no **patsy**. Go take the piss out of somebody else!* • *Je ne suis pas dupe. Allez vous foutre de la gueule de quelqu'un d'autre !*

2 VICTIME, TÊTE DE TURC

*—Judge: Did you do it? // The accused: No, I was just the **patsy**, your honor. // Judge: I beg your pardon?* • *Le juge : C'est vous le coupable ? // Accusé : Non, votre Honneur, c'est moi la victime dans tout ça. // Le juge : Vous pouvez me redire ça ?*

3 PENDU À, VICTIME CONSENTANTE, ACCRO,

*—I am just a **patsy** for your love.* • *Je suis pendu à ton amour.*

phat *adj.*

QUI DÉCHIRE, COOL, SUPER

*—Check this **phat** website.* • *Regarde comme il déchire, ce site web.*

phishing *n.*

Méthode utilisée par les escrocs du web consistant à soutirer des informations confidentielles aux internautes (mots de passe, identifiants, informations financières, numéros de cartes bancaires) en se faisant passer pour des sites officiels et fiables (banques, administrations, sites marchands reconnus).

phoney *adj.*

FAUX CUL, FAUX DERCHE

*—Don't listen to a word he says, he's so **phoney**.* • *Ne fais pas attention à ce qu'il dit, c'est un faux cul.*

piece *n.*

FLINGUE, ARME, PISTOLET

*—That's it! I'm gonna whack him. Get me my **piece**.* • *C'est bon ! Je vais le descendre. Va me chercher mon flingue.*

pig *n.*

aka "the pigs"

FLIC, POLICE, LES POULETS

*—Edge it! The **pigs** are here!* • *Cassons-nous, v'là les flics !*

IL EXISTE PLEIN DE MOTS POUR DÉSIGNER LES FLICS: BACON, FILTH, THE FUZZ...

pig out *v.*

SE GOINFRER, S'EMPIFRER

*—We **pigged out** on pizza last night.* • *On s'est goinfré de pizza hier soir.*

pigsty *n.*

BORDEL, FOUTOIR

*—Get this **pigsty** cleaned up now!* • *Nettoyez moi ce bordel tout de suite !*

pimp the system *loc.*

PROFITER DU SYSTÈME, VIVRE EN PARASITE

*—He's unbelievable. Ten years **pimping the system**.* • *Il est incroyable. Ça fait dix ans qu'il profite du système.*

piss *v., n.*

1 PISSER

*—The pigs caught me **pissing** in the street.* • *Les flics m'ont chopé en train de pisser dans la rue.*

2 PIPI, PISSE

*—Hit the pause button. I'm going for a **piss**.* • *Appuie sur « pause », je vais faire pipi.*

piss about/around *v.*

1 SE FOUTRE / FICHER DE QUELQU'UN

*—Are you **pissing** me **around**?* • *Tu te fous de moi ?*

2 GLANDER, NE RIEN FOUTRE

*—The boss: Johnson! Stop **pissing around**! I said, "by this afternoon", remember?* • *Le patron : Johnson ! Arrête de glander ! Je t'ai dit « pour cet après-midi », tu te souviens ?*

piss down *v.*

PLEUVOIR (COMME VACHE QUI PISSE), PISSER

*—It's been **pissing down** since Monday.* • *Il pleut comme vache qui pisse depuis lundi.*

piss head *n.*

POIVROT, IVROGNE

*—He's always down the pub. He's a **piss head**.* • *Il passe son temps dans les bars, c'est un poivrot.*

piss off *interj.*

VA TE FAIRE FOUTRE, TIRE-TOI

*—You mofo! **Piss off**!* • *Fils de pute ! Va te faire foutre !*

pissed *adj.*

1 [USA] FURIEUX, PAS CONTENT

*—I'm so **pissed** at you, man!* • *Je suis furieux contre toi, mec !*

2 [UK] PÉTÉ, IVRE, BOURRÉ

*—He can't speak. He's **pissed**.* • *Il ne peut pas parler. Il est complètement pété.*

3 pissed off [UK] *adj.*

FURIEUX, PAS CONTENT

*—I'm so **pissed off** at you!* • *Je suis furieux contre toi !*

pisser *n.*

1 DOMMAGE, DÉCEPTION

*—Working on a Saturday? What a **pisser**! • Travailler un samedi ? Quelle merde !*

2 CHIOTTES, TOILETTES, W-C

*—Hit the pause button. I'm going to the **pisser**. • Appuie sur « pause ». Je vais aux chiottes.*

piss take *n.*

PLAISANTERIE, COUILLONNADE

*—I can't believe this. It's a **piss take**. • Ce n'est pas possible. C'est une plaisanterie.*

piss up *n.*

SE BITURER, FÊTE (ALCOOLISÉE)

*—Oh, look! Two full kegs! Let's have a **piss up**! • Waouh ! Deux barriques ! De quoi se biturer !*

pit *n.*

1 LIT, PIEU

*—I'm off to my **pit**. • Je m'en vais au pieu.*

2 TAUDIS, CHENIL, FOUTOIR

*—This place is a **pit**. • Cet endroit est un taudis.*

plastered *adj.*

BOURRÉ, SAOUL

*—Oh, man! I can't remember a thing. I was **plastered** last night. • Putain, je ne me souviens de rien. J'étais complètement bourré hier soir.*

plastic *n.*

CARTE DE CRÉDIT

*—I ain't got no dough on me. You take **plastic**? • Je n'ai pas de liquide. Vous prenez la carte ?*

play away *v.*

TROMPER, AVOIR UNE AVENTURE

*—Yeah, she left him. He was **playing away**. • Ouais, elle l'a quitté. Il la trompait.*

play hooky *v.*

SÉCHER LES COURS, FAIRE L'ÉCOLE BUISSONNIÈRE

*—No wonder you failed. You **played hooky** all year. • Ce n'est pas étonnant que tu redoubles. Tu as séché les cours toute l'année.*

played out *adj.*

VIEILLOT, DÉSUET

*—That joke isn't funny anymore. It's so **played out**. • Cette blague n'est plus très drôle. On l'a trop entendue.*

plumbing *n.*

TUYAUTERIE, PLOMBERIE

Peut faire référence également à l'appareil reproductif.

—*I need to get my* ***plumbing*** *seen to soon.* • *Je vais devoir faire réviser ma tuyauterie bientôt.*

pokey *n., adj.*

1 TÔLE, PRISON, CABANE

—*He spent twenty years in the* ***pokey*** *for whacking Big Bill Malone.* • *Il a pris vingt ans de tôle pour avoir tué Big Bill Malone.*

2 MITEUX, LOUCHE

—*Got a room yet? // Yeah, it's a bit* ***pokey****, but it'll do till the summer.* • *Tu as trouvé un logement ? // Oui, c'est un peu miteux mais ça ira jusqu'à l'été.*

ponce [UK] *n.*

CHOCHOTTE, PÉDÉ

—*Hey, you* ***ponce****! Sit down!* • *Eh, chochotte ! Assieds-toi !*

pong *n.*

PUANTEUR, MAUVAISE ODEUR

—*What's that* ***pong****? Did you chuff?* • *Qu'est-ce que c'est que cette puanteur ? Tu as pété ?*

poof *n., vulg.*

FOLLE, HOMOSEXUEL EFFÉMINÉ, TANTE

—*Gay man 1: Hey, you* ***poof****! // Gay man 2: Hi darling. Give me a kiss!* • *Gay 1: Eh, ma folle ! // Gay 2 : Salut ma chérie. Fais-moi un bisou !*

porkchop *n.*

HÉLICOPTÈRE DE POLICE

—*Get inside! There's a* ***porkchop*** *up there.* • *Entre là-dedans ! Il y a l'hélico de police là-haut.*

pos *acron.* (piece of shit)

UNE MERDE

—*Game message 1: Eat it! // Game message 2:* ***POS*** • *Et toc ! // T'es qu'une merde.*

poser *n.*

FRIMEUR, POSEUR, QUELQU'UN QUI JOUE UN RÔLE

—*He ain't a rapper. He's a* ***poser****!* • *C'est pas un rappeur, ce n'est qu'un frimeur.*

pot *n.*

1 HERBE, MARIJUANA

—*I've got my bong but no* ***pot****.* • *J'ai mon bong mais pas d'herbe.*

2 pothead *n.*

GROS FUMEUR (DE JOINT)

—*Get your finger out, you* ***pothead*** *loser!* • *Bouge ton cul, gros fumeur !*

preggers *adj.*

EN CLOQUE, ENCEINTE

—*I see her from next door is* ***preggers*** *again.* • *Je vois que la voisine d'à côté est de nouveau en cloque.*

pre-nup *n.*
CONTRAT DE MARIAGE

*—Sign a **pre-nup** first. She's a gold digger. • Signez un contrat de mariage d'abord. C'est une vraie sangsue.*

prick *n.*
CONNARD, TÊTE DE NŒUD

*—Piss off, you **prick**! • Va te faire foutre, connard !*

psycho *n.*
TARÉ

*—You're a **psycho**. Let me out of here! • T'es un vrai taré. Fais-moi sortir de là !*

pube *n.*
POILS (PUBIENS / DU CUL)

*—Irate flatmate: Listen, guys! Clean the shower after you! The sight of **pubes** makes me puke. • Le coloc furieux : Écoutez moi, les gars ! Nettoyez la douche en la quittant ! Ça me fait gerber d'y voir vos poils de cul !*

puke *v.*
DÉGUEULER, GERBER

*—Flatmate 1: Are you OK in there? || Flatmate 2: No, I just **puked**. • Coloc 1 : Tout va bien là-dedans ? || Coloc 2 : Non, je viens de dégueuler.*

pull *v.*
DRAGUER, CHOPER, SÉDUIRE

*—Did you **pull** last night? • Tu as dragué hier soir ?*

pumped *adj.*
MOTIVÉ, EMBALLÉ

*—Coach: Ready? || Captain: I'm **pumped**, boss! • L'entraîneur : T'es prêt ? || Le capitaine : Je suis super motivé, chef !*

punk [USA] *n.*
VOYOU, RACAILLE, ORDURE

*—Listen, you **punk**. I want the scrilla before Friday. • Écoute-moi, espèce de voyou. Je veux le fric avant vendredi.*

pusher *n.*
DEALER

*—Neighbour 1: Her from next door's a **pusher**. || Neighbour 2: No way! Neighbour 1: Way! • Le voisin 1: La nana d'à côté est dealer. || Le voisin 2 : Non, c'est pas vrai ?! || Le voisin 1 : Si, si, je t'assure !*

pussy *n., vulg.*
CHATTE, VULVE, MINOU

*—Knob down the disco: Hey, Lucy. Show me your **pussy**! || Girl: Naff off, you twat! • Un connard en boîte : Eh, Lucy. Montre-moi ta chatte ! || La nana : Va te faire foutre, ducon !*

quack *n.*

CHARLATAN

*—Why do you go to that hospital? It's full of **quacks**! //Well, it's next to my house.* • *Pourquoi tu vas dans cet hôpital ? Il est rempli de charlatans. // Eh bien, parce que c'est à côté de chez moi.*

quarter-life crisis *n.*

Tout comme la crise de la quarantaine ou celle de la cinquantaine, cette crise a lieu entre 20 et 30 ans. Elle est provoquée par la prise de grandes décisions.

*—James is suffering from a **quarter-life** crisis, but he doesn't know.* • *James souffre d'une crise des 25 ans, mais il ne le sait pas.*

queen bee *n.*

MAÎTRESSE FEMME, PATRONNE

*—My sis is the **queen bee** with her mates at school. She's got her little entourage following her about wherever she goes. Can you believe it?* • *Ma sœur est une vraie maîtresse femme à l'école, toujours accompagnée de sa petite cour partout où elle va. C'est dingue, non ?*

queer *adj., vulg.*

HOMO, PÉDÉ

*—Get me a piña colada. By the way I'm not **queer**.* • *Je veux bien une piña colada. Et par ailleurs, je ne suis pas homo.*

quicky *n.*

PETIT COUP RAPIDE

*—Husband: Time for a **quicky**? I'm so randy. // Wife: No.* • *Le mari : On a le temps pour un petit coup rapide ? J'ai super envie. // La femme : Non.*

quits *n. pl.*

ÊTRE QUITTES

*—Dave: That's us **quits**! // Ken: You're bamboozling me, mate.* • *Dave : C'est bon, on est quittes. // Ken : T'es en train de me rouler, mon pote.*

quote-unquote *loc. adv.*

ENTRE GUILLEMETS,
PAR PARENTHÈSE

*—It was a fix, **quote-unquote**.* • *C'était, entre guillemets, un coup arrangé.*

ralph *v.*

VOMIR, DÉGUEULER

*—Last night I **ralphed** for ten minutes straight. • J'ai vomi pendant 10 minutes non-stop la nuit dernière.*

randy *adj.*

ÊTRE CHAUD, ÊTRE EXCITÉ (SEXUELLEMENT)

*—Wife: Time for a quicky? I'm **randy**! // Husband: No, I have a headache. • La femme : On a le temps de tirer un petit coup rapide ? Je suis super chaude ! // Le mari : Non, j'ai mal au crâne.*

rat *n.*

1 BALANCE, MOUCHARD

*—Give me the name of the **rat**. • Donne-moi le nom de cette balance.*

2 SALAUD, ENFOIRÉ

*—Daily News: Love **Rat** Leaves Wife For 20-year-old Bimbo. • La Une du Daily News : Le salaud quitte sa femme pour une bimbo de 20 ans.*

rat-arsed *adj.*

TORCHÉ, BOURRÉ

*—Oh, look! A crate of beer. Let's get **rat-arsed**! • Waouh, regarde ! Une caisse de bière. On va se torcher !*

ratty *adj.*

MAL LUNÉ, RÂLEUR, GROGNON

*—What's making you so **ratty** today? • Pourquoi t'es si mal luné aujourd'hui ?*

red-eye flight *n.*

Vol de nuit, souvent fréquenté par les hommes et femmes d'affaires qui se rendent en rendez-vous dès leur atterrissage le matin. Aux US, c'est typiquement le vol New York-Los Angeles.

*—I'm knackered. I've just had a **red-eye flight**. • Je suis crevé. Je viens de faire le vol de nuit.*

reefer *n.*

SPLIFF, JOINT

*—Stop hogging the **reefer**, man. // Arrête de bogarter le spliff, mec.*

retrosexual *n.*

Un homme qui passe le moins de temps possible à soigner son apparence physique et son style de vie. Le contraire d'un **métro-sexuel**.

*—Girl: Splash more cash on your look! I'm not asking you to be George Clooney, but just look decent! //Boy: I told you, I'm a **retro-sexual!*** • *La fille : Fais un effort ! Je ne te demande pas d'être George Clooney, juste d'avoir l'air présentable ! // Le garçon : Je te l'ai déjà dit, je suis un « rétrosexuel » !*

right on *interj.*

OUAIS, À FOND !, GÉNIAL

*—Host: Beers? // The lads: **Right on!*** • *L'hôte : Vous voulez des bières ? // Les potes : Ouais, à fond !*

ringtone dj *n.*

Un type qui n'arrête pas de faire joujou avec les différentes sonneries de son téléphone portable.

*—Teacher: Right, who's the **ringtone dj** at the back?* • *Le prof : Bon, qui n'arrête pas de faire le dj avec son portable au fond de la classe ?*

rip *v.*

GRAVER, COPIER

Transférer de la musique du format CD en MP3.

*—Pass me that CD. I'm gonna **rip** it.* • *Tu me prêtes ton CD, je vais le transférer en MP3.*

rip off *v., n.*

1 SE FAIRE ARNAQUER / AVOIR / REPASSER

*—You've been **ripped off**, mate!* • *Tu t'es fait arnaquer, mon pote !*

2 VOL, ARNAQUE

*—That's a **rip off!*** • *C'est une arnaque !*

rock *v.*

1 DÉCHIRER, EN JETER

*—That **rocks!*** • *Ça déchire !*

2 ASSURER, ÊTRE BON

*—We **rocked** at the gig last night.* • *On a assuré hier soir au concert.*

rock on *interj.*

BRAVO, SUPER !

*—sms 1: ding! LVL 16 // sms 2: **RCK on!*** • *SMS 1 : Niveau 16 ! // SMS 2 : Bravo !*

rock out *v.*

DÉCHIRER

—*What a gig! They really **rocked out.*** • *Quel concert ! Ils ont vraiment déchiré !*

rofl *acron.*

(rolling on the floor laughing)

ÊTRE MORT DE RIRE,
SE TORDRE / CROULER DE RIRE

roll up, skin up *v.*

ROULER UN JOINT

—*Got any skins? I wanna **roll up**.* • *T'as des feuilles ? J'ai envie de me rouler un joint.*

rollin' *adj.*

RÉTAMÉ, BOURRÉ

—*Leave him lying there. He's **rollin'**.* • *Laisse-le là. Il est complètement rétamé.*

root for *v.*

SOUTENIR, ENCOURAGER

—*I'll be **rooting for** Liverpool in the final.* • *Je soutiendrai Liverpool dans la finale.*

rpg *acron.*

(role-playing game)

JEU DE RÔLES

—*"Dungeons and Dragons" is one of the oldest **RPGs*** • *« Donjons et Dragons » est un des plus anciens jeux de rôles.*

rubber [USA] *n.*

1 CAPOTE, PRÉSERVATIF

—*No **rubber**, no action.* • *Pas de capote, pas de sexe.*

2 rubber bus *n.*

BUS DE NUIT, NOCTAMBUS

—*Will we get a taxi home? // No, the **rubber bus** will be along in a minute.* • *On rentre en taxi ? // Non, le bus de nuit va passer bientôt.*

3 rubber check *n.*

CHÈQUE EN BOIS

—*If you've no dough, I'm not accepting any of your **rubber checks**.* • *Si tu n'as pas de liquide, je n'accepterai pas un de tes chèques en bois.*

run-of-the-mill *adj.*

BANAL, ORDINAIRE, NORMAL

—*I'm just a **run-of-the-mill** kind of guy.* • *Je suis un type assez banal.*

rust bucket *n.*

VIEUX TACOT, VIEILLE VOITURE, GUIMBARDE

—*If you think I'm gonna get in that **rust bucket**, you are very much mistaken.* • *Si tu penses que je vais monter dans ton vieux tacot, tu te mets le doigt dans l'œil.*

sack *n.*

PIEU, LIT, PAGEOT

*—I'm gonna hit the **sack**.* • *Je vais me mettre au pieu.*

sad *adj.*

PATHÉTIQUE, PITOYABLE

*—Blue Baboon: I've conquered Europe in "World Conquest"! // Girlfriend: You're **sad**.* • *Blue Baboon : Je viens de conquérir l'Europe dans « World Conquest ». // Sa copine : Tu es pathétique !*

saddo *n.*

PAUVRE TYPE, GRAVE

*—Blue Baboon: I'm going to invade Africa in "World Conquest" now! // Girlfriend: **Saddo**!* • *Blue Baboon : Je vais envahir l'Afrique dans « World Conquest » ! // Sa copine : Pauvre type !*

sap *n.*

SIMPLET, CRÉDULE, GOGO

*—You **sap**!* • *Quel simplet !*

sauce *n.*

1 GNÔLE, ALCOOL

*—Been on the **sauce** again? Come on, you piss head. I'll get you a taxi.* • *Tu t'es encore attaqué à la gnôle ? Viens, poivrot, je vais te trouver un taxi.*

2 sauced *adj.*

IVRE MORT, BOURRÉ, ROND

*—Barman: I think it's time you went home. You're **sauced**.* • *Le barman : Il est temps de rentrer chez vous. Vous êtes complètement bourré.*

saucy *adj.*

SEXY, CANON

*—Have you seen that **saucy** bird in accounts?* • *Vous avez vu la fille super sexy à la compta ?*

sausage fest *n.*

Se traduirait littéralement comme **fête de la saucisse** (bite) et se réfère à des fêtes ou des événements où l'on boit beaucoup.

*—Oh, no! Stag party alert! This is gonna be a **sausage fest**.* • *Houlà ! Un enterrement de vie de garçon... ça va être une fête de la saucisse.*

scene *n.*

SCÈNE, THÉÂTRE

*—I'm not really into this indie **scene**.* • *La scène « indé », c'est pas trop mon truc.*

school of hard knocks *n.*

L'ÉCOLE DE LA RUE / DE LA VRAIE VIE

*—They don't tell you that at your uni. I learnt that from the **school of hard knocks.** • On ne t'apprend pas ça dans ta fac. Moi, j'ai été à l'école de la rue.*

scoff *v.*

DÉVORER, BÂFRER, S'EMPIFRER

*—Hey! You've **scoffed** the lot. • Eh ben ! Tu as tout dévoré.*

score *v.*

1 ACHETER DE LA DROGUE

*—I'm going up the hood. I need to **score.** • Je vais faire un tour dans le quartier. J'ai besoin de me trouver de la drogue.*

2 LEVER / TIRER QUELQU'UN

*—Did you **score** last night? • T'as levé une fille, hier soir ?*

scrap *v., n.*

1 SE DISPUTER, SE BAGARRER

*—Right, you two! Stop **scrapping** and get to bed. • Bon, vous deux, ça suffit ! Arrêtez de vous disputer et allez vous coucher.*

2 CASTAGNE, QUERELLE, DISPUTE

*—There was a right **scrap** down the kebab shop last night. • Il y a eu une vraie castagne au kebab d'à côté hier soir.*

screw *v.*

1 TRUANDER, ESCROQUER

*—Are you trying to **screw** me? • Tu essaies de me truander, là ?*

2 BAISER *vulg.*

*—Wanna **screw**? • Tu veux baiser ?*

3 screw up *v.*

FOIRER, ÉCHOUER, RATER

*—Sorry, I **screwed up.** • Désolé, j'ai foiré.*

scrummy *adj.*

MIAM-MIAM, SUPER, DÉLICIEUX

*—Mary: Fancy some cake? // Mark: **Scrummy!** • Mary : Tu veux un morceau de gâteau ? // Mark : Miam-Miam !*

scumbag *n.*

SALOPARD, SALAUD, SAC À MERDE

*—You **scumbag!** • Salopard !*

seal the deal *loc.*

SCELLER L'ACCORD

*—Pass by the bar tonite and we'll **seal the deal.** • Passe au bar ce soir et on scellera l'accord.*

search engine *n.*

MOTEUR DE RECHERCHE

*—Do you know any good **search engines**? • Tu connais de bons moteurs de recherche sur le net ?*

sell out *v.*

SE VENDRE, TRAHIR, DOUBLER

—Journalist: The new album goes against what you've done in the past and has a blatantly commercial sound. Won't the fans think you are ***selling out****?* • *Le journaliste : Le nouvel album est très différent de ce que vous avez fait dans la passé. C'est beaucoup plus commercial. Vos fans ne vont-ils pas penser de vous que vous vous êtes vendu ?*

sexcellent *adj.*

ORGASMIQUE, SUBLIME

—This chocolate cake is ***sexcellent****!* • *Ce gâteau au chocolat est orgasmique !*

shack up *v.*

VIVRE À LA COLLE,
S'INSTALLER ENSEMBLE

—I heard Kenny's ***shacked up*** *with that bird.* • *J'ai entendu dire que Kenny vivait à la colle avec sa copine.*

shades *n. pl.*

LUNETTES DE SOLEIL

—Like the ***shades****, man! Are they Ray-Bans?* • *J'aime bien tes lunettes de soleil, fils ! Ce sont des Ray-Ban ?*

shady *adj.*

1 LOUCHE, TROUBLE, DOUTEUX

—She's a ***shady*** *lady.* • *Cette femme est louche.*

2 RÉSERVÉ, DISCRET, TIMIDE

—Don't be so ***shady****. Come in.* • *Ne sois pas si timide. Entre.*

shaft *v., n.*

1 VIRER

—This company's ***shafting*** *us!* • *La boîte nous vire !*

2 BAISER, ASTIQUER *vulg.*

—Are you ***shafting*** *that bird from the pub?* • *Tu baises la nana que tu as rencontrée au pub ?*

3 BITE *vulg.*

—Twat down the disco: Look at my big ***shaft****! // Girl: Naff off!* • *Un connard en boîte : Mate ma grosse bite ! // La fille : Va te faire foutre !*

shag *v., vulg.*

1 BAISER, TRINGLER

—Wanna ***shag****?* • *Tu veux baiser ?*

2 shagged out *adj.*

ÉPUISÉ, FATIGUÉ

—Going down the pub, mate? // Nah, I'm ***shagged out****!* • *Tu viens au pub ? // Non, je suis trop épuisé.*

shark *n.*

1 REQUIN, ESCROC, TRUAND

—Don't buy it from them. They're ***sharks****.* • *Ne l'achète pas chez eux. Ce sont des requins.*

2 UN AS, UN CRACK

—*Be careful before you put your money on the table. He's a pool* ***shark.*** • *Fais attention avant d'allonger ton fric. C'est un as du billard.*

shattered *adj.*

MORT DE FATIGUE, CREVÉ, POMPÉ

—*I'm staying in. I'm* ***shattered.*** • *Je reste chez moi. Je suis mort de fatigue.*

shebang (the whole) *n.*

LA TOTALE

—*Detective Sergeant: How much do you wanna know, sir? // Detective Inspector:* ***The whole shebang,*** *my son.* • *Le lieutenant : Que voulez vous savoir ? // L'inspecteur : La totale, mon vieux.*

sheeple *n.*

MOUTON, SANS IDÉES PROPRES

—*The problem with this country is that it's full of* ***sheeple.*** • *Le problème de ce pays est qu'il est rempli de moutons, de gens qui suivent sans poser de questions.*

shit *n.*

1 MERDE

—***Shit!*** *I lost again.* • *Merde ! J'ai encore perdu.*

2 AFFAIRES PERSONNELLES

—*Have you seen my* ***shit?*** • *Tu as pas vu mes affaires quelque part ?*

3 full of shit *loc.*

RACONTER N'IMPORTE QUOI

—*Johnson, you're* ***full of shit.*** • *Johnson, tu racontes n'importe quoi.*

4 when the shit hits the fan *expr.*

QUAND LA MERDE SORTIRA EN PLEINE LUMIÈRE / SERA CONNUE

—***When the shit hits the fan,*** *I'll take the blame.* • *Quand la merde sortira en pleine lumière, j'en assumerai la responsabilité.*

5 shit-hot *adj.*

ÇA DÉCHIRE, EXCELLENT

—*Have you tried "World Conquest" on facebook? It's* ***shit-hot!*** • *Est-ce que vous avez essayé « World Conquest » sur Facebook ? Ça déchire !*

6 shit happens *expr.*

DES CHOSES QUI ARRIVENT

—*I got a punch in the face for ordering a piña colada in that boozer. //* ***Shit happens.*** • *Je me suis pris un poing dans la gueule pour avoir commandé une piña colada dans ce bar. // Ce sont des choses qui arrivent.*

shop *v.*

RAPPORTER, TRAHIR, BALANCER

—*Who* ***shopped*** *me?* • *Qui m'a balancé ?*

shove it up your arse *expr., vulg.*

METS TOI ÇA DANS LE CUL

—*Johnson:* ***Shove*** *your job* ***up your***

arse! • *Johnson : Tu peux te mettre ton job dans le cul !*

silent but violent *adj.*

UN PET SILENCIEUX MAIS QUI EMPESTE

—Oh, no! Who was that? ***Silent but violent****. Open a window!* • *Houlà ! Qui a fait ça ? Un pet « silencieux mais violent ». Ouvrez une fenêtre !*

sista *n.*

FRANGINE, SŒUR

—Yo, ***sista****!* • *Eh, frangine!*

sixpack *n.*

TABLETTE DE CHOCOLAT
Pour les anglo-saxons, les abdos sont comparable à des packs de bière.

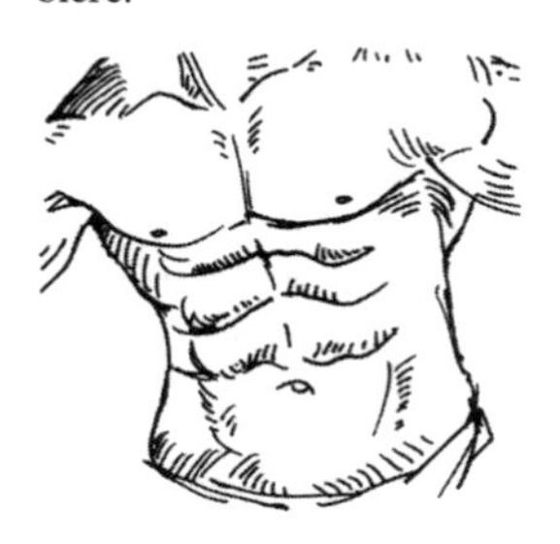

sketchy *adj.*

PEU CLAIRE, FLOU, SOMMAIRE

—Detective sergeant: Right, I want the whole story. // Suspect: It's all a bit ***sketchy****, I'm afraid.* • *Le sergent : Bon, je veux connaître toute l'histoire. // Le suspect : Je crains que l'ensemble ne vous paraisse un peu flou.*

skin *n.*

1 FEUILLE / PAPIER À ROULER LES CIGARETTES

—Got any ***skins****, mate?* • *T'aurais pas des feuilles, mon pote ?*

2 SKIN (HEAD), HOMME AU CRÂNE RASÉ

—He got beaten up by a bunch of ***skins****.* • *Il s'est fait tabassé par une bande de skins.*

skinny-dipping (go) *loc.*

BAIN DE MINUIT

—It was great! We all went ***skinny-dipping*** *at midnight.* • *C'était génial, on a tous pris un bain de minuit.*

skint *adj.*

ÊTRE FAUCHÉ, SANS LE SOU / UN ROND

—Going out tonight? // I can't. I'm ***skint****.* • *Tu sors ce soir ? // Je ne peux pas. Je suis fauché.*

slag off *v.*

DIRE DU MAL, SE MOQUER

—Husband: Darling, you're always ***slagging off*** *other women. // Wife: No, I'm not.* • *Le mari : Ma chérie, tu dis toujours du mal des autres femmes. // L'épouse : non, ce n'est pas vrai.*

slam *v.*

1 ÊTRE DESCENDU / INCENDIÉ

*—The book was **slammed.** • Ce livre a été complètement descendu par la presse.*

2 SE FAIRE / SE TAPER / SAUTER QUELQU'UN *vulg.*

*—See her? I **slammed** her last week. // You're so full of shit! • Tu la vois, celle là ? Je me la suis faite la semaine dernière. // N'importe quoi !*

slammer *n.*

TAULE, PRISON, TROU

*—Don't do it! You'll get 20 years in the **slammer** for whacking him. • Ne le fais pas ! Tu prendras 20 ans de taule si tu le descends.*

slapper *n.*

PUTE, SALOPE, TRAÎNÉE

*—Wife: Serena's just a **slapper**! // Husband: You're such a bitch. • La femme : Serena est une vraie pouffiasse ! // Le mari : Toi, t'es vraiment une langue de pute.*

NOMBREUX SONT LES MOTS UTILISÉS POUR DÉSIGNER LE PLUS VIEUX MÉTIER DU MONDE: SKANK, SLAG, SLUT, WORKING GIRL, HOOKER...

slash *n.*

PIPI, PISSE

*—I'm going for a **slash.** • Je vais faire pipi.*

sleazy *adj.*

PERVERS, OBSCÈNE

*—Get away from me you **sleazy** git! • Ne m'approche pas, espèce de pervers !*

slick *adj.*

SUPERCOOL, TRÈS AU POINT

*—That is a **slick** set of decks! • Tes platines sont supercool !*

slog *n.*

LONGUE JOURNÉE DE TRAVAIL, TRAVAIL PÉNIBLE

*—This is a hard **slog.** • C'était une longue et difficile journée de travail.*

smack *n.*

HÉROINE, POUDRE, DROPOU

*—He's back on the **smack** again. • Il s'est remis à prendre de l'héro.*

smarmy git *n.*

BÊCHEUR, FRIMEUR LOURDINGUE

*—He's showing off his car keys again. // **Smarmy git!** • Il est encore en train d'exhiber ses clefs de voiture. // Quel bêcheur !*

smirt *v.*

(smoke + flirt)

Fait référence aux personnes qui draguent tout en fumant une cigarette pendant la pause café.

*—I'm going to **smirt**. • J'vais draguer dehors en me fumant une clope.*

smitten *adj.*

ÉPRIS, AMOUREUX

*—After a few dates Mark was totally **smitten** with Almu. • Après quelques rendez-vous, Mark était totalement épris d'Almu.*

sms *acron.*

(short message service)

La communication par SMS a créé un type d'écriture où certains chiffres et certaines lettres remplacent les mots.

b = be
8 = ate
c = see
4 = for
r = are
2 = to / too
u = you
y = why
n = and

La combinaison des chiffres et des lettres permet de créer des phrases entières.

ur l8 = you are late
cu l8r = see you later
ru in = are you in?
y r u l8 = why are you late?
b4 9 = before nine
gr8 m8! = great mate!

En faisant disparaître certaines lettres, voire même des syllabes, et la ponctuation, on rend le message plus court et plus économique, comme dans les exemples suivants :

facebook = fcbk
message = msg
please = plz
thanks = thx
text = txt
bck = back
thx 4 ur msg = thanks for your message

Autres exemples avec -orr et –ause qui se transforment en –oz.

sorry = soz
because = coz

On utilise également une abondance d'acronymes.

idk = i don´t know
ttyl = talk to you later
btw = by the way

snafu *acron.*
(situation normal, all fucked-up)

COUILLE, TOUT A FOIRÉ,
IL Y A UN PROBLÈME

*—There is a **snafu**. • Y'a une couille (dans le potage).*

snog *v.*

ROULER UNE PELLE,
EMBRASSER

*—I saw you **snogging** that bloke from up the road. • Je t'ai vu rouler un pelle au type qui habite en haut de la rue.*

snot *n.*

MORVE, MUCUS

*—Blow your nose! You've got **snot** running down. • Mouche-toi ! Tu as de la morve qui te coule du nez.*

snuff *v.*

CLAMSER, MOURIR, REFROIDIR

*—Is he still alive? // Nah, he **snuffed** it years ago. • Il est toujours vivant ? // Non, il a clamsé il y a des années.*

so over *loc.*

ÊTRE TOTALEMENT REMIS

*—I'm **so over** you. Go away! • Je me suis complètement remise de notre histoire. Casse-toi !*

so yesterday *loc.*

PASSÉ DE MODE, DÉPASSÉ, D'HIER

*—That joke is **so yesterday**. • Cette blague est totalement dépassée.*

sob *acron.*
(son of a bitch)

FILS DE PUTE

*—gamer 1: You've been owned! // gamer 2: **SOB**. • Le joueur en ligne 1 : Je t'ai eu ! // Le joueur 2 : Fils de pute !*

solid *adj.*

RÉGLO, FIABLE, EXCELLENT

*—Boss: Can I trust him? // Worker: Yeah, he's **solid**. • Le chef : On peut lui faire confiance ? // Le travailleur : Oui, il est réglo.*

space cadet *n.*

ÊTRE DANS LA LUNE /
DISTRAIT

*—He's a **space cadet**! • Il est dans la Lune !*

spaced out *adj.*

1 À LA MASSE, DISTRAIT

*—What's wrong with you today? You're **spaced out**. • Qu'est-ce que t'as aujourd'hui ? T'es complètement à la masse.*

2 STONE, BOURRÉ, DÉFONCÉ

*—Take him home. He's **spaced out**, man. • Ramène-le à la maison. Il est complètement défoncé.*

spike *v.*

AJOUTER DE L'ALCOOL OU DE
LA DROGUE DANS UNE BOISSON

*—James Bond: You've **spiked** my drink. // Bond girl: Goodnight, James. • James Bond : Tu as versé*

quelque chose dans mon verre. // La Bond girl : Bonne nuit, James.

spin *v.*

1 MENTIR, INVENTER DES HISTOIRES

*—Are you **spinning** again? • Tu mens encore ?*

2 ÊTRE AUX PLATINES

*—And, **spinning** on the wheels of steel... DJ Flash! • Et aux platines ce soir... DJ Flash !*

3 EXAGÉRER OU TRANSFORMER UNE INFORMATION

Pratique habituellement employée par des journalistes ou experts en marketing, en communication, etc

4 FAIRE UN TOUR EN VOITURE

*—Fancy a **spin** in my new motor? • Tu veux faire une virée dans ma nouvelle voiture ?*

splash the cash *expr.*

DÉPENSER UN MAX, CLAQUER

*—I've just **splashed the cash** for my girlfriend's birthday. • Je viens de dépenser un max pour l'anniversaire de ma copine.*

spliff *n.*

1 JOINT, PÉTARD

*—Fancy a **spliff**? • Envie d'un joint ?*

2 spliff up *v.*

FUMER UN JOINT

*—Here's a skin. **Spliff up**. • Voilà une feuille. Fumons un joint.*

spot on *adj.*

PARFAIT, EXACT, AU POIL

*—Is that OK? //**Spot on!** • C'est bien comme ça ? // C'est parfait !*

square *n.*

1 RINGARD, RIGIDE, VIEUX JEU

*—You're such a **square**! • Qu'est-ce que t'es ringard !*

2 [USA] CLOPE

*—Bum me a **square**, man. • File-moi une clope, mec.*

squeeze *n.*

COPAIN / COPINE, CONQUÊTE

*—Are you two an item? //No, he's just my latest **squeeze**. • C'est sérieux entre vous ? // Non, c'est juste ma dernière conquête.*

stag party *n.*

SOIRÉE ENTRE MECS, ENTERREMENT DE VIE DE GARÇON

*—Sausage alert! Here comes the **stag party**. • Alerte : Testostérone en folie ! Soirée entre mecs.*

steaming *adj.*

PLEIN, BEURRÉ, BOURRÉ

*—Barman: I can't serve you any more drink, mate. You're **steaming**.*

Go home. • *Le barman : Je ne peux plus te servir, mec. T'es plein comme une barrique. Rentre chez toi.*

step (it) up *v.*

SE BOUGER, METTRE LA PRESSION

—Come on, guys! ***Step it up****. Two hours till the deadline.* • *Allez, les gars ! Bougez-vous. Il vous reste deux heures pour terminer.*

stingy *adj.*

RADIN, AVARE

—Splash the cash, you ***stingy*** *git!* • *Allez, allonge, espèce de radin !*

stitch up *loc. v.*

EMBROUILLER, SE PAYER LA TÊTE

—He gave me 10, I gave him 2, then he gave his 2 to her. || Lovely jubbly. You really ***stitched*** *him* ***up*** *this time.* • *Il m'en a donné 10, je lui en ai donné 2 et il lui a donné ses 2 à elle. || Génial. Tu l'as embrouillé royalement cette fois-ci.*

stoned *adj.*

DÉFONCÉ, BOURRÉ, STONE

—Step out of the car, sir. You look a bit ***stoned****.* • *Veuillez sortir de votre véhicule, monsieur. Vous m'avez l'air un peu défoncé.*

stoner *n.*

LOQUE, FUMEUR (D'HERBE), ADEPTE DE LA DÉFONCE

—Get a life, you ***stoner****!* • *Reviens dans la vraie vie, espèce de loque !*

stonking *adv.*

ÉNORME, IMPRESSIONNANT

—And there was this ***stonking*** *great big hole in the road.* • *Et il y avait ce trou énormissime au milieu de la route.*

straight *adj.*

1 HÉTÉRO

—Are you ***straight*** *or are you gay?* • *T'es hétéro ou gay ?*

2 SOBRE, DÉSINTOXIQUÉ

—Doctor: How long have you been ***straight****? || Ex junkie: About 3 months now.* • *Le médecin : Ça fait combien de temps que vous ne vous êtes pas piqué ? || L'ex-drogué : Environ 3 mois.*

3 get things straight *expr.*

METTRE LES CHOSES AU CLAIR

—Let's talk and ***get things straight****.* • *Parlons-en et mettons les choses au clair.*

street cred *n.*

RÉPUTATION, IMAGE

—Kid, you can't hang out with me. I have my ***street cred*** *to think about.* • *Petit, tu ne peux pas traîner avec moi, je dois faire gaffe à ma réputation.*

stuff *n.*

CHOSES, AFFAIRES, TRUCS

—Where's my ***stuff****?* • *Où sont mes affaires ?*

suck *v.*

1 ÊTRE NASE / NUL, CRAINDRE

*—This music **sucks**. • Cette musique est nase.*

2 suck ass *loc.*

SUPER NASE, C'EST DE LA MERDE, SUPER NUL, TROUDUC (TROU DU CUL)

*—This music **sucks ass!** • Cette musique est super nase !*

3 suck face *loc.*

ROULER UNE PELLE / UN PATIN

*—How would you know? You two were **sucking face** all night long. • Comment tu pourrais savoir, toi ? Vous étiez en train de vous rouler des pelles toute la soirée.*

4 suck up to *loc.*

FAIRE DE LA LÈCHE, FAYOTER

*—**Sucking up to** teacher again? • Tu as encore fait de la lèche à la prof ?*

sucker *n.*

BONNE POIRE, PIGEON

*—Wise up, **sucker!** • Réveille-toi ! T'es vraiment une bonne poire.*

s'up? *abrév.*

(What's up?)

ÇA VA ?

suss out *v.*

1 PIGER, COMPRENDRE

*—She finally **sussed out** what was going on. • Elle a fini par piger ce qu'il s'est passé.*

2 sussed (out) *adj.*

CERNER, PIGER, DÉCHIFFER

*—I've got her **sussed.** • Je l'ai bien cerné.*

*—Don't you worry about a thing. I've got it all **sussed.** • Ne te soucies de rien, j'ai tout pigé.*

swag *n.*

LOOK, STYLE, PRÉSENTATION

*—Dig the **swag!** • Mate-moi ce look !*

swanky *adj.*

CLASSE, SUPER CHIC, CHICOS

*—That's a **swanky** bike, man. • Cette bécane est super classe !*

swift one *n.*

PETIT VERRE RAPIDE, P'TIT COUP

*—Time for a **swift one?** • On a le temps de boire un petit verre rapido ?*

swing *v.*

SWING, ÉCHANGISME

*—I heard they **swing** at their parties. • J'ai entendu dire qu'ils font de l'échangisme à ces soirées.*

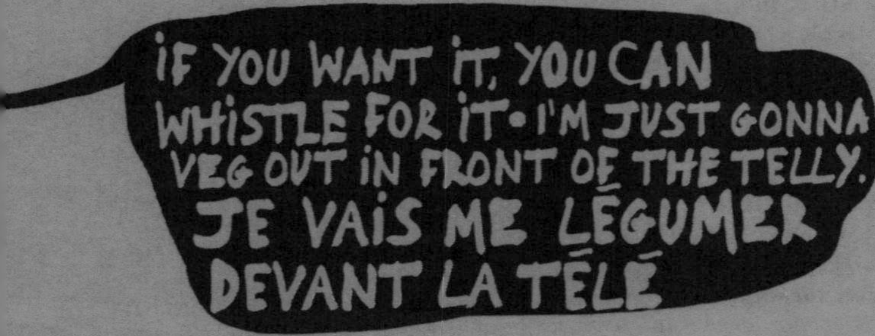

IF YOU WANT IT, YOU CAN WHISTLE FOR IT. I'M JUST GONNA VEG OUT IN FRONT OF THE TELLY.

JE VAIS ME LÉGUMER DEVANT LA TÉLÉ

tab *n.*

1 ACIDE (TABLETTE D'), DOSE

*—Got any **tabs?*** • *T'aurais pas de l'acide ?*

2 [UK] CLOPE, CIBICHE, SÈCHE

*—Got a **tab,** mate?* • *T'aurais pas une clope, mec ?*

tackle *n.*

COUILLES, BURNES

*—Footballer: Watch my **tackle!*** • *Le footballeur : Eh, fais gaffe à mes couilles.*

tacky *adj.*

RINGARD, TOCARD, MINABLE

*—Her house is so **tacky!*** • *La déco de sa maison est tellement ringarde !*

talk shit *loc.*

RACONTER N'IMPORTE QUOI, DÉLIRER

*—You are **talking shit,** man!* • *Tu racontes n'importe quoi, mec !*

talk to the hand *expr.*

PARLE À MON CUL (MA TÊTE EST MALADE), JE NE T'ÉCOUTE PAS

*—Sparky: Are you listening to me? // Mary : **Talk to the hand!*** • *Sparky : Tu m'écoutes ou quoi ? // Mary : Parle à mon cul.*

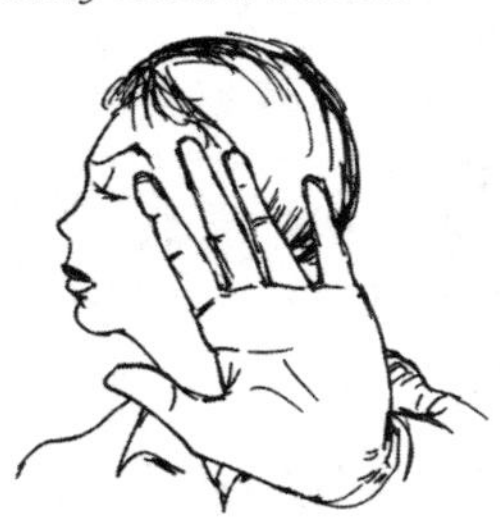

telly *n.*

TÉLÉ

*—I'm just gonna veg out in front of the **telly.*** • *Je vais me légumer devant la télé.*

text *v.*

ENVOYER UN TEXTO, TEXTER

*—**Text** me!* • *Envoie-moi un texto !*

thang *n.*

TRUC, CHOSE

*—Give me, give me my **thang.** Baby, just give me some more. ("My Thang", James Brown)* • *Donne-moi, donne-moi mon truc. Donne-moi juste un peu plus, chérie.*

throwback *n.*

1 FIGÉ DANS LE TEMPS

*—How can I describe him? Well, he's a 70s **throwback**.* • *Comment le décrire ? Eh bien, il s'est arrêté aux années 1970.*

2 REVIVAL, QUI RAPPELLE UNE ÉPOQUE RÉVOLUE

*—That's a **throwback** to my school days.* • *C'est un retour aux années lycée, ça.*

thumb *v.*

ENVOYER UN SMS, TEXTER

*—**Thumb** me!* • *Envoie-moi un SMS !*

thumb through *v.*

FEUILLETER

*—I saw this great article when I was **thumbing through** paper.* • *J'ai trouvé ce très bon article en feuilletant cette revue.*

tick off *v.*

1 ÉNERVER, ASTICOTER

*—Why are you **ticking** me **off** all the time?* • *Pourquoi tu passes ton temps à m'énerver ?*

2 ENGUEULER, GRONDER

*—She gave him a right **ticking off** last night.* • *Elle l'a bien engueulé hier soir.*

tide over *v.*

FAIRE TENIR, DÉPANNER

*—I'm skint. Can you give me a few dollars to **tide** me **over** till pay day?* • *Je suis à sec. Est-ce que tu pourrais me prêter quelques dollars pour me faire tenir jusqu'à la paie ?*

tight *adj.*

SUPER COPAINS / COPINES, INTIME

*—Hey, brother! We're **tight**, ain't we?* • *Hé, mon frère ! On est super copains, non ?*

tip off *v.*

AVOIR UN TUYAU / UNE INFO

*—Do you know who **tipped** us **off**?* • *Vous savez qui nous a donné un tuyau ?*

toast *adj.*

CUIT

*—We're **toast**!* • *On est cuits !*

toke *n.*

TAFFE

*—Want a **toke** on this, dude?* • *Tu veux une taffe de mon joint, mec ?*

tool *n.*

GLAND, IDIOT, NASE

*—You **tool**!* • *Espèce de gland !*

totty *n.*

BELLES NANAS, BEAUX MECS

*—Loads of **totty** here tonight. • Il y a plein de belles nanas ici ce soir.*

toy boy *n.*

GIGOLO, AMANT DE PASSAGE

*—That's her from next door with her **toy boy**. • C'est la voisine avec son gigolo.*

tranny *n.*

TRAVELO, TRAVESTI

*—The **trannies** are fighting again! I don't know whether to call the police or Almodóvar. • Les travelos sont encore en train de se crêper le chignon. Je ne sais pas si je dois appeler les flics ou Almodóvar.*

trippy *adj.*

HALLUCINANT, DINGUE, PSYCHÉDÉLIQUE

*—I'm sure I've been here before! No? This is **trippy**! • Je suis déjà venue ici, j'en suis sûre ! Non ? C'est hallucinant !*

ts *acron.*
(tough shit)

TANT PIS, DOMMAGE, LES BOULES !, PUTAIN !

*—sms1: I got owned in WoW // sms 2: **TS**! • SMS 1 : Je me suis fait ratatiner dans WoW. // SMS 2 : Tant pis !*

tuck (it) away *v.*

SE GAVER, NE PAS S'ARRÊTER DE MANGER, S'EMPIFRER

*—I've been **tucking** it **away** lately, man. • Je n'arrête pas de m'gaver en ce moment, mec.*

tuppence worth [UK] *n.*

GRAIN DE SEL; DONNER SON AVIS

*—He always has to get his **tuppence worth** in. • Il faut toujours qu'il ajoute son grain de sel.*

turf *n.*

TERRITOIRE, QUARTIER

*—They whacked him on his own **turf**. • Ils l'ont liquidé sur son propre territoire.*

twat *n.*

TÊTE DE NŒUD, IDIOT, CON, IMBÉCILE

*—Hey! You **twat**! • Eh ! Tête de nœud !*

two-time *v.*

TROMPER, ÊTRE INFIDÈLE

*—Did you know that creep was **two-timing** me? He'll get what's coming. • Tu savais que ce salaud me trompait ? Il le regrettera.*

uber *adv.*

SUPER, HYPER

—*That place is* ***uber*** *cool.* • *Cet endroit est super cool.*

uglify *v.*

ENLAIDIR, AMOCHER, DÉVALUER

—*You have to leave, man. You're* ***uglifying*** *my flat.* • *Faudrait que tu dégages, mec, t'es en train d'enlaidir mon appart.*

ungood *adj.*

Un néologisme formé en ajoutant le préfixe « un » à l'adjectif good. Cela signifie « pas bon », « pas bien », c'est-à-dire « mal », « nul ».

—*Oh, no! A fail? This is so* ***ungood.*** • *Merde, je redouble ? C'est vraiment nul.*

ungoogleable *adj.*

INTROUVABLE MÊME SUR GOOGLE

Ce qui sous-entend que la chose en question n'existe sans doute pas.

—*I can't find any info on that company. Nothing's coming up on screen, they're* ***ungoogleable.*** • *Je ne trouve aucune info sur cette société. Aucun résultat. Pour Google, ça n'existe même pas.*

up against it *expr.*

ÊTRE DANS LA MERDE

—*We're* ***up against it*** *now. Sony and Samsung are in bed together.* • *On est dans la merde. Sony et Samsung sont de mêche.*

up on dat *expr.*

ÊTRE AU COURANT DE

—*You gotta be* ***up on dat.*** • *Tu dois rester au courant de tout ça.*

upchuck *v.*

GERBER, VOMIR, DÉGUEULER

—*Out of my way! I'm gonna* ***upchuck!*** • *Poussez-vous ! J'vais gerber !*

upriver, upstate, up north *n.*

TAULE, PRISON, VIOLON

—*Where's Johnny? Is he still* ***up north?*** • *Il est où, Johnny ? Toujours en taule ?*

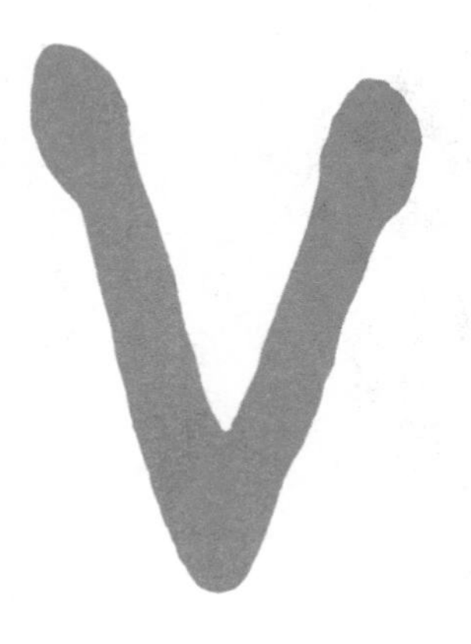

veg out *v.*

BULLER, LÉGUMER, GLANDER

*—When I get off work, I just like **vegging out** in front of the telly.* • *Quand je rentre du travail, j'aime buller devant la télé.*

verbal diarrhea *n.*

MOULIN À PAROLES, DIARRHÉE VERBALE, LOGORRHÉE

*—She's got **verbal diarrhea**!* • *C'est un vrai moulin à paroles !*

vet *n.*

VÉTÉRAN, ANCIEN

*—"Born in the USA" is about a troubled Vietnam **vet**.* • *« Born in the USA » parle d'un vétéran du Vietnam qui a des problèmes.*

vibe *n.*

FEELING, SENSATIONS

*—I get good **vibes** from Michael.* • *J'ai un bon feeling avec Michael.*

vomit comet [USA] *n.*

BUS DE NUIT, NOCTAMBUS (REMPLI DE GENS BOURRÉS QUI VOMISSENT)

*—Don't get a taxi, the **vomit comet**'ll be along in ten minutes.* • *Ne prends pas un taxi, le noctambus arrive dans 10 minutes.*

vpl *acron.*
(visible panty line)

MARQUE /DESSIN VISIBLE DE LA CULOTTE

*—Look, lads! **VPL**.* • *Regarde ! On voit le dessin de sa culotte sous son pantalon.*

volumes (speaks) *loc.*

EN DIRE LONG

*—The look on her face **speaks volumes** about what she feels about you.* • *Sa mimique en dit long de ce qu'elle pense de toi.*

WHAT DID HE SAY?
// JUST THE USUAL,
YADA YADA YADA •
QU'EST-CE QU'IL
A DIT? // COMME D'HAB:
BLA-BLA-BLA

w00t! *expr.*
Une expression qui indique la victoire et la jubilation dans les cyberjeux.

waffle *v.*
JACASSER, BARATINER

—*Stop **waffling** and get to the point.* • *Arrête de jacasser et accouche !*

wags *acron.*
(wives and girlfriends)
FEMMES ET COMPAGNES / COPINES

—*Newspaper headline: Capello Bans **WAGs** from England Training Camp.* • *Titre de journal : Capello interdit femmes et copines sur le centre d'entraînement de l'équipe d'Angleterre.*

waltz off with *v.*
FILER, VOLER, PARTIR AVEC

—*Some wanker has **waltzed off with** my jacket.* • *Un connard a filé avec ma veste.*

wangle *v.*
OBTENIR, DÉGOTER, SOUTIRER

—*I'm gonna try and **wangle** an extra day's holiday.* • *Je vais essayer d'obtenir une journée supplémentaire de vacances.*

wank *v., n.*
1 SE MASTURBER / BRANLER *vulg.*

2 N'IMPORTE QUOI, ÂNERIES, CONNERIES

—*Don't talk **wank**!* • *Ne raconte pas de conneries !*

3 wanker *n.*
BRANLEUR

—*Martha: He was seeing someone else. // Friend: **Wanker!*** • *Martha : Il sortait avec une autre. // Son amie : Quel branleur !*

wannabe *n.*
QUI RÊVE D'ÊTRE QUELQU'UN, ASPIRANT

—*Kylie Minogue's just a **wannabe** Madonna.* • *Kylie Minogue rêve d'être Madonna.*

Warhol moment *n.*

QUART D'HEURE WARHOLIEN (DE CÉLÉBRITÉ)

*—Well, I got my **Warhol moment** this morning. They interviewed me for the telly.* • *Bon, eh bien j'ai eu mon quart d'heure Warholien ce matin. Ils m'ont interviewé à la télé.*

wassup? *expr.* (what's up?)

COMMENT ÇA VA ?

*—Yo, dude! **Wassup?*** • *Comment ça va, mec ?*

waste *v.*

ANÉANTIR, DÉTRUIRE, SUPPRIMER, ZIGOUILLER

*—I'm gonna **waste** you, weed!* • *Je vais t'anéantir, petite merde !*

way [USA] *interj.*

SI, AFFIRMATIF

*—No way! // Yeah, **way!*** • *Jamais de la vie ! // Si !*

wazz *n.*

PIPI, PISSE, URINE

*—I was having a **wazz** in the street when the pigs arrived.* • *J'étais en train de faire pipi dans la rue quand les flics sont arrivés.*

wazzed *adj.*

BOURRÉ, IVRE, PÉTÉ

*—What happened to you last night? You were **wazzed** after 3 drinks.* • *Qu'est-ce qui t'es arrivé hier soir ? T'étais bourré après 3 verres.*

weed *n.*

1 MAUVIETTE, DÉBILE

*—Hey, shut up! **Weed!*** • *Tais-toi, mauviette !*

2 HERBE, MARIJUANA

*—Get the **weed** out, man.* • *Sors ton herbe, mec.*

wet ware *n.*

Terme utilisé dans le cyberespace pour se référer aux êtres humains dans le monde réel.

whack *v.*

1 BUTER, DESCENDRE, FILER UNE BRANLÉE

*—They're gonna **whack** him.* • *Ils vont le buter.*

2 whack off *v., vulg.*

SE BRANLER, SE MASTURBER

*—Dokes: I bet you **whack off** thinking about that shit. // Dexter: Me? Hell, no!* • *Dokes : Je suis sûr que tu te branles en pensant à ce genre de merde. // Dexter : Moi ? Jamais de la vie !*

3 whacko *adj.*

CINGLÉ, FOU, MABOUL, TOQUÉ

*—Don't talk to those guys. They're **whacko.*** • *Ne leur adresse pas la parole. Ils sont cinglés.*

what the hell *expr.*

PUTAIN, C'EST QUOI ÇA ?

*—George: **What the hell** was that? // Dick: Dunno.* • *Georges : Putain, mais c'est quoi ça ? // Dick : Aucune idée.*

whatever *interj.*

COMME TU VEUX, C'EST ÇA, SOIT !

*—Husband: It's over between us. // Wife: Yeah, **whatever**.* • *Le mari : C'est fini entre nous. // La femme : Ouais, comme tu veux.*

wheels *n.*

BAGNOLE, TIRE

*—Wanna see my new **wheels**?* • *Tu veux voir ma nouvelle bagnole ?*

whistle for *v.*

ESSAYER (EN VAIN)

*—If you want it, you can **whistle for** it.* • *Si tu le veux, tu peux toujours courir.*

whoop it up *v.*

FAIRE LA FÊTE

*—Come along to the party and **whoop it up** all night long.* • *Viens à la soirée. On va faire la fête toute la nuit.*

whopper *n.*

BOBARD, BARRATIN, CHOSE ÉNORME

*—What a **whopper**!* • *Quel énorme bobard !*

who's your daddy? *expr.*

C'EST QUI TON MAÎTRE ?

*—After potting the black ball on the pool table: Yeeeees! **Who's your daddy**?* • *En mettant la boule noire sur le billard : Oooouuuiii ! Alors, c'est qui ton maître ?*

wicked *adj.*

GÉNIAL, SUPER, DÉMENT

*—Sophie: I got the job! // Manu: **Wicked!*** • *Sophie : C'est bon, j'ai eu le boulot ! // Manu : Génial !*

willy-nilly *adv.*

À TORT ET À TRAVERS, AU HASARD

*—You can't just come in and make comments like that, **willy-nilly**.* • *Tu ne peux pas débarquer comme ça et faire des commentaires à tort et à travers.*

windbag *n.*

MOULIN À PAROLES

*—What a **windbag**! Always going on and on.* • *Quel moulin à paroles, celui-là ! Il ne s'arrête jamais.*

wingman *n.*

TENIR LA CHANDELLE, ACCOLYTE

*—I'm going for the brunette. Wanna be my **wingman**?* • *Je vais m'attaquer à la petite brune. Tu tiendras la chandelle ?*

wino *n.*

ALCOOLO, IVROGNE, POIVROT

*—Graham: He was a great talent. Where is he now? //Kyle: He lost it. He's a **wino** now. • Graham : Il était super doué. Qu'est-ce qu'il fait en ce moment ? // Kyle : Il a tout perdu. Il est devenu alcoolo.*

wiped *adj.*

ÉPUISÉ, CREVÉ

*—I'm gonna hit the sack. I'm **wiped**. • Je vais me coucher. Je suis épuisé.*

wired *adj.*

À CRAN, SUREXCITÉ, STRESSÉ

*—Don't say anything to her. She's **wired**. • Ne lui dis rien. Elle est à cran.*

wobbler *n.*

CRISE, PÉTER LES PLOMBS

*—She threw a **wobbler** when she found out she didn't get the promotion. • Elle a piqué une crise quand elle a appris qu'elle n'avait pas obtenu sa promotion.*

woose, wuss *n.*

POULE MOUILLÉE, FROUSSARD

*—Get in the water! Don't be a **wuss**. • Jette-toi à l'eau ! Ne sois pas une poule mouillée.*

word is bond *expr.*

Expression qui indique qu'une personne est fiable, a une parole en or.

*—Dan: I don't believe him. //Gary: I do. His **word is bond**. • Dan : Je ne le crois pas. // Gary : Moi, si. Sa parole vaut de l'or.*

expr.

LA PURE VÉRITÉ , EXACT !, ÇA ROULE !

*—Mark: Is that true? //Almu: Yeah, **word up!** • Mark : C'est vrai ?// Almu : Oui, c'est la pure vérité !*

wow *acron.*

(world of warcraft)

*—Little brother: What does **WoW** mean? // Big brother: It means "World of Warcraft". Now, could you get out of my room, please? • Le petit frère : Que signifie « WoW »?// Le grand frère: « World of Warcraft ». Maintenant tu peux sortir de ma chambre, s'il te plaît ?*

wrecked *adj.*

BOURRÉ, IVRE, ROND, PÉTÉ

*—Duncan: Why did you say that? // Lindsay: Dunno, man. I was **wrecked**. • Duncan : Pourquoi t'as dit ça ? // Lindsay : J'en sais rien, mec. J'étais bourré.*

wtf *acron.*

(what the fuck)

PUTAIN !

*—sms: **WTF** happened? • SMS: Putain! Qu'est-ce qui s'est passé ?*

yellow card *n., v.*

CARTON JAUNE

Avertissement. Expression qui sert à réprimander quelqu'un dont l'avis va contre l'opinion générale. Il est donc apostrophé, comme au foot, avec un carton jaune.

—*Wilson: Right, lads! Let's go to a club. //Johnson: No, I'm gonna call it a day. //Lads:* ***Yellow card****, Johnson!* • *Wilson : Allez, les gars, on part en boîte ! // Johnson : Non, je vais rentrer, moi. // Carton jaune, Johnson !*

yada yada yada *n.*

BLA-BLA-BLA

—*What did he say? //Just the usual,* ***yada yada yada.*** • *Qu'est-ce qu'il a dit ? // Comme d'hab : bla-bla-bla.*

yak *v.*

VOMIR, DÉGUEULER, DÉGOBILLER, GERBER

—*Open the window, please. I'm gonna* ***yak!*** • *Ouvre la fenêtre, STP. Je vais gerber !*

yeah right *interj.*

OUAIS, C'EST ÇA

—*Lads: Look, Pete! Your idol's just walked in the door. //Pete:* ***Yeah, right!*** • *Le copain : Pete, regarde, c'est ton idole qui vient de rentrer. // Pete : Ouais, c'est ça, je te crois.*

yo *interj.*

SALUT, YO, BONJOUR

—***Yo****, dude!* • *Salut, mec !*

you and your mama *interj.*

TOI ET TA MÈRE !

—*I'm gonna deck you! //Yeah,* ***you and your mama.*** • *Je vais te casser la gueule ! // C'est ça mec, toi et ta mère !*

yuk *interj.*

BEURK, DÉGUEU, POUAH !

—*Spinach!* ***Yuk!*** • *Des épinards, beurk !*

yummy *adj., interj.*

MIAM-MIAM, DÉLICIEUX

—*Chocolate cake!* ***Yummy!*** • *Tarte au chocolat ! Miam-miam !*

zap into *v.*

FAIRE UN TOUR RAPIDE, FAIRE UN SAUT

—*Stay here, please. I'm just gonna* ***zap into*** *the super for some bread and milk.* • *Attends-moi là. Je vais vite faire un tour dans l'épicerie pour du pain et du lait.*

zero hour *n.*

L'HEURE QUI INDIQUE LE COMMENCEMENT, LE LANCEMENT

—*OK, everybody. An early start tomorrow.* ***Zero hour*** *07:00.* • *OK, tout le monde. On commence tôt demain, à 7 h 00.*

zero tolerance *n.*

TOLÉRANCE ZÉRO

—*Slogan:* ***Zero tolerance*** *against wife beaters.* • *Le slogan : Tolérance zéro pour les hommes qui battent leurs femmes.*

zilch *n.*

RIEN DE RIEN, ZÉRO, QUE DALLE, QUE POUIC, DES CLOUS

—*So, what did you get from the inheritance? //* ***Zilch!*** • *Alors, qu'est-ce que tu as reçu dans l'héritage ? // Que dalle !*

zit *n.*

BOUTON D'ACNÉ

—*Hey! You've got a* ***zit*** *on your nose.* • *Hé ! T'as un bouton sur le nez.*

2 pop a zit *loc.*

PERCER UN BOUTON D'ACNÉ

—*That's a gross* ***zit*** *you got, Johnny. Pop it, man!* • *Il est dégueu ton bouton, Johnny. Perce-le mec !*

zonked *adj.*

ÉPUISÉ, CREVÉ, POMPÉ

—*Hey! Wake up! //Just leave him. He's* ***zonked.*** • *Hé ! Réveille-toi ! // Laisse-le, il est crevé...*

FRANÇAIS-ENGLISH

EH, MADEMOISELLE,
TU ME PASSES TON 06 ?
JE T'APPELLE DEMAIN

• EXCUSE ME MISS. COULD
I HAVE YOUR CELL PHONE
NUMBER? I'LL CALL YOU
TOMORROW.

0
123
456
789

06 *fam.*

MOBILE PHONE NUMBER

—Eh, mademoiselle, tu me passes ton ***06** ? Je t'appelle demain.* • *Excuse me Miss. Could I have your cell phone number? I'll call you tomorrow.*

22 (v'là les flics) *fam.*

HERE COME THE COPS

In the past, the number 22 was used to call the police. Afterwards it became a code with which to refer to them.

24 heures sur 24 *expr.*

24 HOURS A DAY

—La station service est ouverte ***24 heures sur 24**.* • *The gas station is open 24 hours a day.*

40
s'en foutre comme de l'an 40 *expr.*

I COULDN'T CARE LESS

—Tu peux dire ce que tu veux, je ***m'en fous comme de l'an 40**.* • *Say whatever you like, I couldn't care less.*

9-2 (neuf-deux), les Hauts-de-Seine

9 3 (le neuf cube), 9-3 (neuf-trois), la Seine-Saint-Denis

9-4 (neuf-quatre), le Val-de-Marne *expr.*

These numbers refer to different departments in France, all located in the Ile-de-France Region. They are present on all licence plates and are often used to refer to the departments rather than the names of the departments themselves. The latest fad has been to seperate the numbers from each other and saying: le neuf-trois, le neuf-deux (**nine-three, nine-two**). This has lead to more complex expressions such as nine cubed. These expressions are local to the region and used almost exclusively by adolescents living in the tougher neighbourhoods and housing projects in Ile-de-France.

—J'suis né dans le ***neuf-trois**.* • *I was born in the nine-three.*

abouler *v., arg.*

Also **rabouler.**

1 TO HAND OVER

*—**Aboule** l'oseille ! • Hand over / Cough up the money!*

2 COME ON! *loc.*

*—**Aboule** ! Tout le monde t'attend. • Come on! Everybody's waiting.*

abréger *v., fam.*

CUT IT SHORT

*—**Abrège** ! On a pas toute la journée. • Cut it short! We don't have all day.*

abuser *v., fam.*

PUSHING THINGS TOO FAR

*—Vous **abusez,** M'sieur, on peut pas lire 20 pages pour demain. • Sir, you're pushing things too far, we can't read 20 pages by tomorrow.*

accoucher *v., fam.*

1 TO SPIT IT OUT

*—**Accouche** ! Qu'est-ce qui s'est passé après ? • Well, spit it out, what happened then?*

2 TO FESS UP

*—**Accouche** où est le fric ! • Fess up! Where did you hide the money?*

accro *adj., n. f. et m., fam.*

1 ADDICT

*—Il est **accro** aux jeux en ligne. • He's addicted to on-line games.*

2 HOOKED

*—Il est complètement **accro** à cette nana. Il ne parle que d'elle. • He's completely hooked on this girl. He won't shut up about her.*

A PERSON CAN BE "ACCRO" TO JUST ABOUT ANYTHING: SEX, CHOCOLATE, WORK, ALCOHOL, MANGAS, ETC.

ado *n. f. et m., abrév.*

(adolescent)

TEEN, ADOLESCENT, TEENAGER

*—Dans mon centre de loisirs je m'occupe d'**ados** de 13 à 15 ans. • In the youth center where I work, I look after the 13 to 15 year-old teens.*

loc., verlan

(à fond)

BIG TIME , TOTALLY INTO

—*Elle est* ***à donf*** *dans la prépa de son concert.* • *She's preparing for her concert, big-time.*

À FOND, À DONF, À FOND LA CAISSE, À FOND LES BALLONS, À TOUTE BERZINGUE...

A DISTINCT EXPRESSION WHICH SIGNIFIES "TO THE MAX"

à plus !, à + ! *abrév.*

(à plus tard)

LATER!, SEE YOU LATER

—*On se casse.* ***À plus*** *!* • *We're outta here. Later!*

à toute ! *abrév.*

(à tout à l'heure)

SEE YOU LATER / SOON!

—*Je reviens dans une heure.* ***À toute*** *!* • *I'll be back in an hour. See you later!*

affaire *n. f., fam.*

1 BARGAIN

—*Cette bagnole, c'est une* ***affaire*** *! Elle coûte que 4 000 euros.* • *This car is a bargain! It only costs 4000 Euros.*

2 lâcher l'affaire *loc.*

LET IT GO

—***Lâche l'affaire,*** *il va jamais changer d'avis.* • *Let it go, he's never going to change his mind.*

afficher *v., arg.*

TO MAKE FUN OF,
TO PUBLICLY MOCK SOMEONE

—*Elle m'****a affiché*** *devant mes potes en disant que j'avais une p'tite bite.* • *She made fun of me infront of my friends and said I had a small dick.*

ainf *n. f., verlan*

(faim)

HUNGER

alcoolo *n. f. et m., fam.*

ALCOHOLIC / ALKY

—*Dans le film « Leaving las Vegas », Nicolas Cage joue le rôle d'un* ***alcoolo****.* • *In the movie "Leaving Las Vegas", Nicolas Cage plays an alcoholic.*

alloc *n. f., fam.*

(allocations familiales)

WELFARE, PUBLIC FUNDING (LINKED TO THE NUMBER OF CHILDREN IN A HOUSEHOLD)

In France, **les allocations familiales**, refers to government money attributed to families with low income.

—*Les voisins touchent plus d'****allocs****.* • *The neighbours are getting more welfare money.*

allonger *v., fam.*

1 TO THROW DOWN, TO PAY, TO FORK OUT, TO PAY UP

—*Il peut crever, j'**allongerai** pas un rond.* • *He can drop dead. I'm not throwing down a dime.*

2 en allonger une, allonger une baffe, allonger une gifle *loc.*

TO HIT, TO SLAP

—*Je vais t'**en allonger une.*** • *I'm going to hit you.*

allumer *v., fam.*

1 TO LIGHT UP, TO BEAT UP

—*Momo **a allumé** le mec qui lui avait piqué son vélo.* • *Momo lit up the guy who stole his bike.*

2 TO HIT ON, TO TURN ON

—*Elle **a allumé** tous les mecs de la boîte.* • *She was hitting on every guy in the disco.*

3 allumé/e *adj., n., fam.*

CRAZY / NUTS

Also **allumé/e de la tête**

—*Ce mec, il est **allumé**. Il a engueulé le type qui lui a évité de se faire renverser.* • *That guy is crazy. He yelled at the man who saved him from getting run over.*

SYNONYMOUS WITH "ALLUMÉ": TARÉ, BARGE, BARJO, CINGLÉ, CHTARBÉ, DÉBILE, DÉJANTÉ, DINGUE, FÊLÉ, GUEDIN, MABOUL, LOUF, OUF, SIPHONNÉ, TAPÉ, TIMBRÉ, TOQUÉ...

4 allumeur/euse *adj., n., fam.*

TEASE, FLIRT, PRICK TEASE

Allumeur is used less than the feminine version, **allumeuse**.

—*Anna, quelle **allumeuse** ! Elle drague tous les mecs qu'elle voit et au dernier moment elle refuse toujours de coucher avec.* • *Anna is such a tease, she flirts with every man she meets but then refuses to go to bed with them at the last minute.*

5 se faire allumer *loc.*

TO GET HIT ON

—*Je **m'suis fait allumer** par le prof de géo.* • *My geography teacher hit on me.*

allouf *n. f., arg.*

MATCHES

—*J'ai plus d'**alloufs**. T'as du feu ?* • *I'm out of matches. Do yo have a light?*

ambiancer *v., arg.*

TO CREATE A CONTAGIOUS ATMOSPHERE

—*Dis donc, quelle fête géniale, j'**suis ambiancé** !* • *What a great party! The atmosphere is contagious!*

s'amener *v., fam.*

TO GET OVER HERE

—*Tu **t'amènes** ! Ça fait 20 minutes qu'on t'attend.* • *Would you get your ass over here. We've been waiting for you for 20 minutes.*

amocher *v., fam.*

1 TO MESS UP, TO RUIN, TO DAMAGE

—Je vais le tuer, il ***a amoché*** *mes cheveux.* • *I'm going to kill him, he messed up my hair.*

2 TO HURT, TO RUIN ONE'S LOOKS (*iron.*)

*—Ils lui ont foutu une bonne raclée, ils l'****ont*** *bien* ***amoché****.* • *It looks like he got a good beating.*

antisèche *n. f., arg.*

CHEAT SHEET (US, for a test) / CRIB SHEET (UK)

apéro *n. m., fam. abrév.* (apéritif)

COCKTAIL

—On se prend un petit ***apéro*** *avant de manger ?* • *Should we have a cocktail before dinner?*

aprèm *n. m. ou f., fam., abrév.* (après-midi)

AFTERNOON

*—J'ai rien foutu de l'****aprèm****.* • *I accomplished absolutely nothing this afternoon.*

archi- *préf., fam.*

MEGA-, SUPER-, HYPER

Archi is placed in front of an adjective to magnify its meaning and make it stronger. It is very frequently used.

—Ce bouquin est ***archi-****chiant.* • *This book is super-boring.*

arracher *v., fam.*

1 SUPER-SPICY, HOT

—La cuisine antillaise, ça ***arrache****.* • *Carribean cooking is super-spicy.*

2 à l'arrache *loc., fam.*

RANDOMLY, IN A HURRY

—J'étais à la bourre, j'ai fait ma valise ***à l'arrache****.* • *I was in such a hurry I packed totally randomly.*

3 s'arracher *v., fam.*

TO TAKE OFF, TO LEAVE, TO GET OUT OF HERE

—On s'emmerde ici. On ***s'arrache*** *?* • *This place is boring, let's take off!*

s'arranger (pas) *v., fam.*

NOT IMPROVING

—Celui-là, il ***s'arrange pas*** *avec le temps. Il est toujours aussi gamin !* • *This guy is not improving with age. He still acts like such a child!*

arroser *v., fam.*

TO CELEBRATE

—Il a eu son permis, ce soir on va ***arroser*** *ça.* • *He just got his licence. Tonight, we celebrate.*

asiate *n. f. et m., fam.*

ASIAN

Refers to all things Asian

—Le XIIIe est l'arrondissement des ***Asiates****.* • *The 13th district of Paris is the Asian district.*

asso *n.f., abrév.*
(association)
Also **assoc'**, **assoce**.
ORGANISATION

*—Elle bosse gratos dans une **asso** de défense des animaux. • She volunteers in an animal rights organisation.*

assurer *v., fam.*
TO DO A GREAT JOB, TO EXCEL, TO MASTER

*—Tu verras ce DJ, il **assure** grave ! • Wait until you see this DJ. He does a great job.*

asticoter *v., fam.*
1 TO PESTER, TO IRRITATE

*—S'il continue à l'**asticoter**, il va se prendre une baffe. • If he continues to pester her, he's gonna get hit.*

2 s'asticoter (le manche)
v. prnl., vulg.
Also "**s'astiquer.**"
TO MASTURBATE, TO JACK-OFF

avaler *v., fam.*
1 TO SWALLOW, TO MISPRONOUNCE

*—Je comprends pas Pascal quand il parle français, il **avale** la moitié des mots. • I don't understand Pascal when he speaks French. He swallows his words.*

2 avaler le morceau, avaler la pilule *loc.*
TO DEAL WITH (*fig.*), TO ACCEPT

*—Quand j'ai su qu'elle m'avait trompé, j'ai eu du mal à **avaler le morceau**. • When I found out she was cheating on me, I had a lot of trouble dealing with it.*

3 avaler sa langue *loc.*
CAT GOT YOUR TONGUE?

*—Tu tchatchais comme un ouf et maintenant, **t'as avalé ta langue** ou quoi ? • You used to talk non-stop and now, nothing. Cat got your tongue?*

-ave *suf.*
A very vulgar way of transforming verbs in French. They are not conjugated but rather all end with and **–ave** or **–aver** ending. They are sometimes used with an imperfect ending **–avait** or with a past participle, **-ave**.

pillave to drink alcohol, get smashed

bédave to smoke hash or weed

bouillave to fuck

poucave to denounce, snitch

graillave to gobble

*—Hier soir on a **pillave** comme des oufs ! • We drank like fish last night!*

These terms are used by youths living in the hard urban suburbs or by the gypsy community. Otherwise, they are seldom heard.

ELLE EST BARJO CETTE NANA.
ELLE PARLE AVEC LES MANNEQUINS
DE LA VITRINE • THAT CHICK
IS CRAZY. SHE TALKS TO THE
MANNEQUINS IN THE WINDOW DISPLAY.

baba *adj., n., fam.*

Also **bab**, **baba cool**, **babos** (The final 's' is to be pronounced).

1 HIPPY, GRANOLA, PEACE AND LOVE

—*Regarde ce* ***babos****. Personne lui a dit qu'on était plus dans les années 70 ? • Check out the hippy. Hasn't anyone told him the seventies are over?*

2 l'avoir dans le baba
loc., fam.

GET SCREWED

—*Je croyais que j'allais toucher les 400 euros de prime, mais je* ***l'ai eu dans le baba****. • I thought I was going to get the 400 euros bonus but I got screwed.*

3 être baba *loc.*

TO BE STUNNED / DAZED

babtou *n. m., arg., verlan* (toubab)

WHITE GUY

—*Bien sûr que tu t'es fait remarquer, t'étais le seul* ***babtou*** *dans cette soirée africaine. • Of course people are noticing you, you're the only white guy at this African party.*

baffer *v., fam.*

TO HIT, TO PUNCH, TO SLAP

—*T'es un vrai con, tu mérites que je te* ***baffe****. • You're a real asshole, I should hit you.*

bagnole *n. f., arg.*

WHEELS, RIDE, BUGGY

—*Putain, la* ***bagnole*** *que tu t'es achetée, on dirait K2000 ! • Dude, check out your wheels, it looks like Knight Rider!*

bahut *n. m., arg.*

SCHOOL, JAIL

—*Les profs du* ***bahut,*** *ils me les cassent, je vais me tirer. • The teachers at school are a real pain in the ass. I'm cuttin' out.*

bail (faire un) *loc., fam.*

AGES (BEEN), LONG TIME NO SEE

—*Oh là là, ça* ***faisait un bail*** *qu'on s'était pas vus ! Je t'avais pas reconnu ! • My God, it's been ages since we've seen each other! I didn't recognise you!*

baise *n. f., vulg.*

1 FUCKING

*—La **baise** et la fumette, y'a que ça qui l'intéresse. • Fucking and getting high are the only things that interest him.*

2 être de la baise *loc., vulg.*

TO BE FUCKED / SCREWED

*—La nouvelle table entre pas dans le salon, mais je l'ai déjà vernie et je peux plus la rendre. **J'suis de la baise**. • The new table doesn't fit in the living room but I've already varnished it and can't return it. I'm fucked!*

baiser *v., vulg.*

1 TO FUCK

*—Ils **ont baisé** toute la nuit comme des bêtes. • They fucked like animals all night.*

2 TO GET SOMEONE, TO SCREW SOMEBODY OVER

*—Il croyait qu'il allait m'avoir, mais je l'**ai baisé** avant. • He thought he was going to get me but I screwed him first.*

3 se faire baiser, être baisé *loc.*

TO GET SCREWED OVER, TO GET HAD

*—Il **s'est fait baiser** par son propre associé. • He got screwed over by his own partner.*

balance *n. f., arg.*

1 SNITCH

This term is usually used only by criminals and police.

2 balancer *v., fam., arg.*

a TO DENOUNCE, TO I.D., TO SNITCH

*—Le dealer **a été balancé** par sa propre femme ! • The dealer was denounced by his own wife!*

b TO START UP

*—On est tous là, que la fête commence, **balance** la zique ! • We're all here, let's get the party going, start up the music!*

balèze *adj., n., fam.*

Also, **balaise**, **balès**.

1 WELL-BUILT, STRONG, BIG, MUSCULAR

*—Bien sûr qu'il est **balèze**, il passe sa vie au gymnase. • Of course he's well-built, he spends his life at the gym.*

2 TO BE REALLY GOOD AT SOMETHING, TO BE SMART / BRAINY

*—Marion, elle est **balèze** en physique. • Marion is really good at Physics.*

baliser *v., fam.*

TO FREAK OUT

*—**J'ai balisé** pendant l'atterissage. • I was freaking out during the landing.*

balloches *n. f. pl.*
BALLS, BOLLOCKS

balourder *v., arg.*
1 TO THROW AWAY

2 TO LIE, TO MAKE SOMETHING UP

bamboula *n. f., fam.*
PARTY, GOOD TIME

*—Les voisins ont fait la **bamboula** toute la nuit. Ils me fatiguent ! • The neighbours partied all night. They're exhausting!*

banane (la) *loc., fam.*
SMILE, GOOD MOOD, TO BE FULL OF BEANS

*—Nacira a des galères mais elle garde **la banane**. • Nacira has had a tough time but she always keeps a smile on her face.*

se bananer *v. prnl., fam.*
TO MESS UP

*—**J'me suis banané** à l'examen hier. Si ça continue, je vais redoubler. • I totally messed up my exam yesterday. If I keep this up, I'm going to fail.*

bandant/e *adj., arg., vulg.*
1 HOT, SEXY, FUCKABLE

*—Fernand, il est **bandant**, il ressemble trop à Orlando Bloom. • Fernando is so hot. He looks like Orlando Bloom.*

2 pas bandant/e
UNSEXY, NOT EXCITING

*—Son nouveau projet n'est **pas bandant**. • His new project is so unsexy.*

bander *v., arg.*
TO HAVE A HARD ON

*—S'il ne peut pas **bander**, il devrait consulter un urologue. • If he can't get a hard-on, he should see a urologist.*

banquer *v., fam.*
TO BLOW, TO SPEND, TO THROW DOWN, TO FORK OUT

*—Il a **banqué** un max de thunes pour son divorce. • He blew a ton of money on his divorce.*

baraka *n. f.*
avoir la baraka *loc., fam., ar.*
TO BE LUCKY
(when it comes to money)

*—Hier au poker, il **a eu la baraka**, il a gagné 3 000 euros. • He was lucky last night at poker. He won 3000 euros.*

The opposite of "**baraka**" is "**scoumoune**".

baratin *n. m., fam.*
1 SMOOTH TALK

*—Arrête ton **baratin**, personne te croit. • Cut the smooth talk, nobody believes you.*

2 baratiner *v., fam.*

TO GIVE SOMEONE THE SPIEL [USA, NYC], TO CHAT UP

*—Quand il a commencé à **baratiner**, je l'ai arrêté tout de suite, c'était pas crédible.* • *When he started in on his spiel, I stopped him right away, I couldn't believe him for a second.*

barbaque *n. f., arg.*

CUTS OF MEAT, MEAT

*—Le boucher du marché, il a de la belle **barbaque**.* • *The butcher at the market has some nice cuts of meat.*

barber *v., fam.*

Also **bébar** (*verlan*).

1 TO SWIPE, TO STEAL, TO LIFT, TO NICK

*—Il a encore **barbé** un portable, il est complètement clepto.* • *He's swiped another mobile phone. He's such a kleptomaniac.*

2 TO BE TEDIOUS, TO WEAR DOWN, TO TIRESOME

*—Qu'on arrête de nous **barber** ! Ça fait des années qu'ils savaient qu'il fallait fermer la centrale nucléaire.* • *Quit being tedious. It's been years that they've known they would have to close down the nuclear power plant.*

3 barber qqn *v., fam.*

TO BORE SOMEONE

*—Les cours de géo, ça **me barbe**.* • *Geography class bores me.*

barda *n.m., arg., ar.*

MESS, CLUTTER (also GEAR) **Barda**, lit. "gear", denotes a disorderly mess of rope and equipment...

*—T'as vu le **barda** dans ta chambre ? On voit même pas le plancher.* • *Have you seen the mess in your room, we can't even see the floor.*

barder *v., fam.*

TO GET HEAVY, TO GET IN TROUBLE, TO BE IN DEEP SHIT

*—S'il continue à pas étudier, ça va **barder** !* • *If he doesn't keep up his studies, he's going to be in deep shit!*

barjo *adj., n. m. et f., fam.*

Also, **barge**.

CRAZY, NUTS, INSANE

*—Elle est **barjo** cette nana. Elle parle avec les mannequins de la vitrine.* • *That chick is crazy. She talks to the mannequins in the window display.*

barouf *n. m., fam.*

RACKET, COMMOTION

*—Avec leur **barouf**, j'ai pas pu étudier.* • *I couldn't do any studying with all that racket.*

barré

1 être bien barré *loc., fam.*

TO BE LIKELY TO, TO BE WELL-OFF / LOOKING GOOD

*—Il **est bien barré** pour réussir le*

tour du monde. • *It's looking likely that he'll make it around the world.*

2 être mal barré *loc., fam.*
TO LOOK UNLIKELY, TO LOOK BAD, TO BE IN A BAD POSITION (*iron.*)

—Le vol est annulé. ***C'est mal barré*** *pour les vacances en Egypte.* • *The flight has been cancelled… The vacation in Egypt is looking unlikely.*

se barrer *v., fam.*

TO TAKE OFF, TO LEAVE, TO CLEAR OFF

—Trop sympa, ton copain, il ***s'est barré*** *sans prévenir.* • *Real nice, your friend. He took off without saying anything.*

baskets *n. f. pl.*

1 être bien dans ses baskets *loc., fam.*
TO BE COMFORTABLE WITH ONESELF, TO BE AT EASE

—Léa, c'est une meuf très équilibrée, elle ***est bien dans ses baskets.*** • *Léa is well-balanced, she's very comfortable with herself and who she is.*

2 lâcher les baskets *loc., fam.*
TO LEAVE ALONE / IN PEACE, GIVE ME A BREAK!

—Je t'ai dit d'arrêter. ***Lâche-moi les baskets !*** • *I said stop. Leave me alone!*

bassiner *v., fam.*

TO GO ON AND ON, TO TALK AN EAR OFF, TO BORE

—Il nous ***bassine*** *avec son divorce, il ne parle de rien d'autre.* • *He goes on and on about the divorce. He can't talk about anything else.*

baston *n. f., arg.*

FIGHT, PUNCH-UP

—Des skins sont arrivés au milieu du concert et y'a eu une ***baston.*** • *Some skinheads arrived in the middle of the gig and there was a fight.*

bastos *n. f., fam.*

The last 's' in **bastos** is not silent.
BULLET

–Il s'est pris une ***bastos*** *en pleine tronche pendant la fusillade.* • *He caught a bullet right in the face during the shootout.*

bazar *n. m., fam.*

1 MESS, DISORDER, CLUTTER

—T'as vu le ***bazar*** *dans sa chambre ?* • *Did you see the mess in his room?*

2 STUFF, THINGS, KIT

—Enlève tout ton ***bazar*** *de la table, on va dîner.* • *Get your stuff off the table, we're going to have dinner.*

bazarder *v., fam.*

TO THROW OUT

—*J'ai* ***bazardé*** *mes vieilles chaussures.* • *I threw out all of my old shoes.*

beauf *n. m., fam., abrév.*
(beau-frère)

1 BROTHER-IN-LAW, BRO-IN-LAW

—*Mon* ***beauf****, c'est un flic.* • *My brother-in-law is a cop.*

2 WHITE TRASH, JOE SIXPACK, SQUARE

—*On dirait un* ***beauf*** *avec ce survêt.* • *Those sweats are so white trash.*

begèr, bégèr *v., verlan*
(gerber)

The letter '**r**' in **begèr** and **bégèr** is meant to be pronounced.

TO PUKE, TO SPEW, TO THROW UP

—*Elle était tellement bourrée qu'elle* ***a begèr*** *sur ses baskets.* • *She was so drunk that she puked on her shoes.*

beigne *n. f., fam.*

WHACK, SMACK, PUNCH

—*Il était furax, il m'a filé une* ***beigne****, il m'a cassé une dent.* • *He was furious, whacked me and broke one of my teeth.*

bénef *n. m., abrév.*
(bénéfice)

ALL BENEFIT, FREE, NO LOSS

—*Il m'a donné son ordi, je l'ai revendu, c'est tout* ***bénef****.* • *He gave me his computer and then I sold it. All benefit, no loss.*

berges *n. f. pl., fam.*

YEARS

—*Il vient d'avoir 40* ***berges****.* • *He just turned 40.*

berzingue (à tout / à toute) *loc., fam.*

AT BREAKNECK SPEED, LIKE A BAT OUTTA HELL, VERY QUICKLY

—*Il roulait* ***à toute berzingue*** *sur l'autoroute et il s'est fait flasher.* • *He was driving at breakneck speed down the highway and got flashed by a radar.*

béton *v., verlan*
(tomber)

1 TO FALL

—*Le cureton est* ***béton*** *en montant les marches de l'église et il s'est cassé les chicots.* • *The priest fell down while walking up the stairs and broke his teeth.*

2 laisse béton *loc., verlan*
(laisse tomber)

Also **laisse bet**.

WHATEVER, FORGET IT, DROP IT!

—*J'avais pas envie de discuter avec lui, je lui ai dit «* ***laisse béton*** *».* • *I didn't feel like talking to him so I was like, "whatever".*

beu, beuh *n. f., fam.*

WEED (marijuana)

*—L'odeur de la **beu** a attiré les flics, on a tèje notre pétard.* • *The smell of our weed got the cops' attention so we threw it away.*

beur/ette *n., fam.*

SECOND GENERATION NORTH AFRICAN BORN IN FRANCE

*—C'est une **beurette,** Rachida : elle est née à Paris et ses parents sont de Casablanca.* • *Rachida is French from North Africa: she was born in Paris but her parents are from Casablanca.*

beurré/e *adj., fam.*

DRUNK, HAMMERED, PLASTERED

*—Elle est arrivée complètement **beurrée** au bureau.* • *She arrived at work completely drunk.*

bibine *n. f., fam.*

BEER (OF POOR QUALITY), BAD DRINK, CAT'S PISS

bide *n. m., fam.*

1 TUMMY, STOMACHE

*—J'ai mal au **bide,** je dois avoir une gastro.* • *I have a tummy ache. Maybe I have gastroenteritis.*

2 BOMB, FIASCO, FAILURE, FLOP

*—Le dernier concert de Julio Iglesias a fait un **bide,** les spectateurs sont partis à la deuxième chanson.* • *Julio Iglesias' last concert was a complete bomb, the audience started leaving after the second song.*

bidon *adj., n. m., fam.*

1 BELLY, TUMMY, PAUNCH

Bidon in this sense is used as a term of endearment.

2 FRAUD, FAKE, PHONEY

*—Les élections étaient **bidon,** ils ont dû revoter.* • *The elections were fraud, they had to re-vote.*

3 BULLSHIT, LIE

*—Ce qu'il nous a dit sur l'augmentation de salaire, c'est du **bidon,** le patron n'acceptera jamais.* • *What he said about a pay rise is bullshit, the boss will never agree.*

4 se bidonner *v., fam.*

TO LAUGH, TO HAVE FUN

*—Avec ses sales blagues, on **s'est bidonnés** toute la soirée.* • *We were laughing all night at his dirty jokes.*

bidouiller *v., fam.*

TO TINKER WITH, TO FIDDLE

*—Comme il n'avait pas de pognon pour faire réparer la voiture, il l'a **bidouillée** comme il a pu.* • *Since he didn't have enough money to fix his car, he tinkered with it as best he could.*

bidule *n. m., fam.*

1 WHAT'S HIS NAME

*—J'ai lu le livre de… **bidule,** com-*

ment il s'appelle, déjà ? • I've just read what's his name's book.

2 THINGY, THING

*—Passe-moi ce **bidule**-là sur la table. • Hand me that thingy there on the table.*

bigophoner *v., fam.*

TO BUZZ, TO CALL, TO RING, TO HOLLER

*—Tu me **bigophones** quand t'as des news ? • Give me a buzz when you hear some news, ok?*

bille *n. f., fam.*

CLUELESS, IDIOT

*—Quelle **bille** ! Il a pas vu que le contrôleur arrivait, il va pas pouvoir s'échapper. • He is so clueless, he didn't see the ticket checker and now he can't get away.*

bin's, binz, bintz *n. m., fam.*

FIASCO, COCK-UP

*—La mariée s'est cassée au milieu de la cérémonie. T'aurais vu le **bin's** ! • The bride left in the middle of the ceremony. What a fiasco!*

THE EXPRESSION "QU'EST-CE QUE C'EST QUE CE BIN'S" (WHAT'S ALL THE COMMOTION?) IS AN EXPLICIT REFERENCE TO THE FILM, "LES VISITEURS".

bite *n. f., vulg.*

PENIS, COCK

*—J'ai la **bite** qui me gratte, je dois avoir des morbacs. • My penis itches, I must have crabs.*

There are loads of synonyms for the word penis that are either childish, colloquial, or slang: L'asperge, le bazar, la bébête, la bite, la biroute, la bistouquette, le chibre, le dard, le manche à balai, la pine, le petit Jesus, le petit oiseau, le poireau, Popol, la queue, la quéquette, la saucisse, la teub, le cigare à moustache, la zigounette, le zizi, le zob, le zgueg… (dick, cock, johnson, shlong, wang, weiner, willy, prick, pecker, shaft, etc.).

biture *n. f., fam.*

BOOZE UP, DRINK FEST, PISSED

*—Quelle **biture** ! Demain je reste au pieu toute la journée. • What a booze up! I'm staying in bed all day tomorrow.*

black *adj., n., angl.*

1 BLACK PERSON, BLACK PEOPLE

2 UNDER THE TABLE, UNDECLARED WORK

*—Non, il cotise pas à la sécu, il travaille au **black**. • No, he doesn't pay social taxes, it's all under the table.*

blaireau/rote *n.*

1 LOSERS, DORK, NERD

*—Les participants des émissions de télé-réalité, c'est vraiment des **blaireaux**. • Reality TV show participants are real losers.*

2 POOR SAP (naïve)

*—Quel **blaireau**, il s'est encore fait arnaquer. • That poor sap got ripped off again.*

blairer (ne pas) *v., fam.*

NOT BE ABLE TO STAND, TO DETEST

*—Ce bouffon il fait chier tout le monde, personne peut le **blairer**. • This guy gets on everybody's nerves. Nobody can stand him.*

blème *n. m., fam., abrév.* (problème)

PROBLEM

*—Qu'est-ce que t'as à me regarder ? T'as un **blème** ? • What are you lookin' at? Got a problem?*

bobard *n. m., fam.*

LIE, SHAGGY DOG STORY

*—Il raconte tellement de **bobards** que quand il dit la vérité, personne le croit. • He tells so many lies that when he finally tells the truth, nobody believes him.*

bobo *n. m., contrac.* (bourgeois bohême)

BOHEMIAN BOURGEOIS

*—L'ancien quartier des pêcheurs est devenu un nid de **bobos**. • The old fishermen's neighbourhood has been invaded by bohemian bourgeois.*

Bobo, "bourgeois bohême" originally comes from the American journalist David Brooks who coined the term in 2000. Refers to a generation of yuppies or dinks who have tried to incorporate a bit of bohemia into their bourgeois lives by gentrifying poor or working class neighbourhoods and consuming organic, fair-trade products. They're like a mix of seventies hippies and yuppies eighties.

bol *n. m., fam.*

LUCK, GOOD FORTUNE

*—J'ai du **bol**, j'ai trouvé 50 euros dans la rue. • By a stroke of luck, I found 50 euros in the street.*

bonbec *n. m., fam.*

CANDY

*—J'adore les **bonbecs**, mais ça m'a pourri les dents. • I love candy but it's ruined my teeth.*

bonbon *adv., fam.*

A FORTUNE, A LOT

*—Elle coûte **bonbon** cette bagnole. Avec ton salaire, tu peux pas te l'acheter. • This car costs a fortune. You can't buy it with your salary.*

bonnasse *n. f., fam.*

1 BABE (attractive woman)

*—T'as vu le corps qu'elle a ? C'est une **bonnasse** ! • Did you see her body? What a babe!*

2 PUSHOVER

bordel *n. m., vulg.*

1 GOD DAMMIT, FUCKING SHIT

*—Mais **bordel,** arrête tes conneries ! À ton âge, tu pourrais être responsable ! • God dammit quit fucking around! You should be more responsible at your age!*

2 FUCKED (UP SITUATION), MESS

*—Quel **bordel** ! Depuis que c'est la crise, les spéculateurs de tout poil, ils chient tous dans leur froc. • This is so fucked! The speculators have all been shitting themselves since the crisis hit.*

3 WHOREHOUSE

boucler (la) *v., fam.*

TO SHUT IT, TO SHUT YOUR FACE, TO SHUT UP

*—Tu **la boucles,** je veux plus t'entendre ! • Shut it, I don't want to hear your voice anymore!*

bouffe *n. f., fam.*

1 GRUB, FOOD, EATS, VITTLES

*—Y'a trop de **bouffe,** on va exploser ! • There's too much grub, we're gonna explode!*

2 bouffer *v., fam.*

TO EAT, TO STUFF ONE'S FACE

bouffon/ne *adj., fam.*

CLOWN, JOKER, DOPE

*—Regarde-moi ce **bouffon,** il est toujours en train de lécher les bottes des profs. • Look at this clown, always sucking up to the teachers.*

bouler (envoyer) *loc., fam.*

TO GET LOST, BEING TOLD TO TAKE A HIKE

*—La meuf du bar, elle m'**a envoyé bouler** quand j'lui ai demandé son numéro. • The chick at the bar told me to get lost when I asked her for her number.*

boules *n. f. pl., fam.*

1 BALLS, NERVE

2 avoir les boules, choper les boules *loc.*

TO FEEL BAD / GUILTY / EMBARASSED, TO BE VERY FRIGHTENED

*—J'ai engueulé mon p'tit frère et il a fait une fugue. **J'ai les boules.** • I yelled at my brother and he ran away from home. I feel bad.*

3 foutre les boules *loc.*

TO MAKE SOMEONE FEEL SCARED / BAD / GUILTY

*—Il m'**a foutu les boules** quand il m'a dit que j'allais être renvoyé. • He scared me when he told me that I was going to get expelled.*

boulot *n. m., fam.*

JOB, WORK, GIG

bounty *®, n. m., arg.*

OREO

Person of colour who is considered as a traitor for wanting to be white: black on the outside, white on the inside, like the cookie.

*—Michael Jackson c'est le **bounty** le plus connu. • Michael Jackson was the most famous oreo.*

bourge *n., fam., péj., abrév.* (bourgeois)

BOURGEOIS, CONSERVATIVE

bourre

1 être à la bourre *loc., fam.*

TO BE IN A HURRY

*—Là, je peux plus rester, j'**suis à la bourre,** je vais rater mon bus. • I really can't stay, I'm in a hurry, I'm going to miss my bus.*

2 se bourrer la gueule *v., fam.*

TO GET SMASHED, TO GET DRUNK, TO GET HAMMERED,

*—Comme on pouvait picoler à volonté, je **me suis bourré la gueule** au whisky. • Since it was a free bar, I got smashed on whiskey.*

bousiller *v., fam.*

TO DESTROY, TO RUIN, TO WRECK

*—Il s'est assis sur mes lunettes et il les a **bousillées.** • He sat on my glasses and destroyed them.*

branler *v., vulg.*

1 branlée *n. f., vulg.*

WHOOP-ASS [USA], SEVERE DEFEAT

*—Ils lui ont foutu une **branlée** quand ils ont su qu'il leur avait volé la marchandise. • They opened up a can of whoop-ass when they found out he had stolen the merchandise.*

2 branleur/euse *n., vulg.*

WANKER [UK]

*—C'est un petit **branleur,** un bon à rien qui ne bosse pas et n'a aucun centre d'intérêt. • He's a no-good wanker with no job and no interests.*

3 ne rien branler *loc.*

TO DO JACK SHIT / NOTHING

*—Albert a pas avancé sur le dossier. Il **a rien branlé** de la matinée. • Albert hasn' made any progress. He's done jack shit all morning.*

4 se branler *v., vulg.*

TO JACK OFF, TO MASTURBATE

*—Il passe sa journée à **se branler** en regardant des films pornos. • He spent all morning jacking off in front of porn films.*

5 s'en branler *loc.*

TO NOT GIVE A TOSS / A DAMN

*—Je **m'en branle** que ta mère nous ait vus en train de niquer. • I don't give a toss if your mother saw us having sex.*

C *SMS et mails, abrév.*

(c'est, ce)

Abbreviation in French for "it is".

—C OK pr **c** *soir ? • Is everything ok for tonight?*

cabane *n. f., arg.*

1 SLAMMER, PRISON, NICK

—Après le coup, il a passé cinq ans en ***cabane****. • After the heist, he spent five years in the slammer.*

2 HOME

cageot *n. m., fam.*

DOG, UGLY FEMALE, BOOT

—Quel ***cageot****, on va jamais la marier. • What a dog, we'll never find her a husband.*

cailler *v., fam.*

FREEZING

—T'as pas de chauffage ou quoi ? Ça ***caille****, ici. • Don't you have any heating? It's blatic in here.*

caisse *n. f., fam.*

1 WHEELS, RIDE, BUGGY

—Il s'est fait piquer sa ***caisse****, il devra aller au boulot en métro. • His wheels got stolen, he'll have to take the subway to work.*

2 lâcher une caisse *loc., fam.*

TO CUT THE CHEESE, TO LET OUT A FART, TO BREAK WIND

—Elle a ***lâché une caisse*** *en croyant qu'elle était toute seule et sa chef a explosé de rire. • She cut the cheese thinking she was alone and her boss burst into laughter.*

calbar *n. m., arg.*

TIGHTY WHITIES, BOXER SHORTS, UNDERWEAR

—C'est un gros dégueulasse, il a toujours des ***calbars*** *avec des traces de pneu. • He's disgusting, his tighty whities always have skid marks.*

In French there are many other words for underpants: calbar, calbute, calcif, calfouette, ben, slibar, slibard…

LES HISTOIRES ROMANTIQUES COMME ÇELLE DE "TITANIC" SONT VRAIMENT CUCUL LA PRALINE •

ROMANTIC STORIES LIKE "TITANIC" ARE TOO CHEESY FOR ME.

calculer qqn (ne pas) *v., fam.*

TO IGNORE, TO BLOW OFF

—*Quand on a vu le relou s'approcher de nous, on l'a* ***pas calculé****. Personne lui a dit bonjour.* • *When we saw that weirdo making his way towards us, we ignored him. No one said hello.*

calmos *interj., fam.*

The final 's' is not silent.

TAKE IT EASY, COOL IT

—***Calmos*** *! Laisse-moi me garer. Tu vas pas rater le train.* • *Take it easy! Let me park the car. You're not going to miss your train.*

came *n. f., arg.*

1 DRUGS, GEAR

2 camé/e *n., adj., arg.*

JUNKIE, DRUG ADDICT

—*Y'a dix ans, le centre ville était le quartier des* ***camés,*** *ils venaient tous se piquer ici.* • *Ten years ago, downtown was full of junkies. They all came here to shoot up.*

3 se camer *v. prnl., arg.*

TO DO/TAKE DRUGS, TO SHOOT UP, TO SNORT, TO SMOKE

—*Depuis qu'elle travaille, elle a arrêté de* ***se camer****.* • *She stopped doing drugs ever since she started working.*

canne *n. f., arg.*

1 LEG

2 canner *v., arg.*

TO KICK THE BUCKET, TO DIE, TO GIVE UP THE GHOST

—*Elle a* ***canné,*** *la vioque d'en face, son cœur a lâché.* • *The old lady across the way kicked the bucket, she had a heart attack.*

3 être canné *loc.*

BITE THE DUST

capote *n. f., fam.*

CONDOM, RUBBER, JOHNNY

—*Il a pas peur des MST, il baise toujours sans* ***capote****.* • *He's not afraid of catching any VD, he always has sex without a condom.*

capter *v., fam.*

TO UNDERSTAND, TO GET

—***J'ai*** *rien* ***capté*** *au cours de physique.* • *I didn't understand a thing in physics class.*

carotter, carotte *v., fam.*

TO SWIPE, TO NICK, TO STEAL, TO PINCH

Can be conjugated as a verb or used simply as "**carotte**", without conjugation.

—*Je* ***me suis fait carotter*** *mon portable dans le métro.* • *I got my cell phone swiped on the subway.*

carrer (n'en avoir rien à) *loc., fam.*

TO NOT CARE LESS, TO NOT GIVE A DAMN/SHIT

—*Tu peux te suicider, j'****en ai rien à carrer****.* • *Go ahead and kill yourself, I couldn't care less.*

cartonner *v., fam.*

1 TO BE A SMASH HIT, TO BE SUCCESSFUL

—*« Millenium »* ***a*** *tellement* ***cartonné*** *qu'ils en ont fait un film.* • *"Millenium" was such a smash hit that they made a film out of it.*

2 HAVE AN ACCIDENT

—*À cause de la pluie, il* ***a cartonné*** *à moto.* • *He had a motorcycle accident because of the rain.*

casquer *v., fam.*

TO COVER THE COST OF, TO PAY FOR, TO FORK OVER THE MONEY

—*Vu qu'il est orphelin, il doit* ***casquer*** *le banquet de son mariage lui-même.* • *Since he's an orphan, he is going to have to cover the cost of the wedding banquet on his own.*

casse-couilles *adj., n., vulg.*

PAIN IN THE ASS, BALL-BUSTER

—*Quel* ***casse-couilles*** *celui-là avec sa nouvelle caisse !* • *That guy is such a pain the ass going on about his new car!*

casser *v., fam.*

1 TO PUT SOMEONE DOWN, TO DESTROY SOMEONE

—*Le prof l'****a cassé*** *devant ses parents, il leur a dit que c'était un glandeur, la honte !* • *The teacher put him down in front of his parents, called him a wanker, how embarassing!*

2 se casser *v., fam.*

TO TAKE A HIKE, BEAT IT

—***Casse-toi****, tu pues ! (quote from a song by Renaud)* • *Beat it, you stink!*

—***Casse-toi, pauvre con !*** • *Beat it, you asshole!*
Famous phrase pronounced by President Sarkozy at the annual Agricultural Conference 2008, directed towards a man who refused to shake his hand.

3 casser les couilles *loc., vulg.*

BUSTING BALLS, GETTING ON MY NERVES

—*Tu me* ***casses les couilles*** *avec ta musique à la con. Fous tes écouteurs !* • *Quit busting my balls with your stupid music. Wear some headphones!*

casse-gueule *adj., fam.*

RISKY, PERILOUS, UNSAFE

—*Son projet d'entreprise c'est* ***casse-gueule****. Avec la crise, il risque de perdre vachement de fric.* • *His business plans are pretty risky. With* *the financial crisis, he stands to lose a lot of money.*

cassos *interj., arg., fam.*

The final 's' is not silent.

GET OUT, BEAT IT

—*Je ne veux plus te voir,* ***cassos*** *!* • *I never want to see you again. Get out!*

char (arrête ton) *loc., fam.*

DROP THE ACT

—***Arrête ton char,*** *plus personne te croit.* • *Drop the act, nobody believes you anymore.*

charclo *n. m., verlan* (clochard, clocharde)

BUM, HOBO, HOMELESS

—*C'est toujours le même* ***charclo*** *qui dort devant le distributeur de la banque.* • *There's always the same bum hanging out in front of the ATM machine...*

charlot *n. m., fam.*

A JOKE/JOKER, LOSER, DILDO

—*Le maire, c'est un* ***charlot,*** *on peut pas compter sur lui.* • *The mayor's a joke. You can't count on him.*

charrier *v., fam.*

1 TO MAKE FUN OF, TO TEASE, TO MOCK

—*J'en ai marre que tout le monde me* ***charrie*** *à cause de mes boutons, ils m'appellent tronche de pizza.* • *I'm sick of everyone making fun of me because of my zits, they call me pizza face.*

2 EXAGGERATING

—*Arrête de* ***charrier,*** *t'exagères comme un Marseillais.* • *Cut it out, you're exaggerrating like someone from Marseille.*

chatte *n. f., vulg.*

PUSSY, VAGINA, SNATCH, COOCH

—*C'est la mode de se raser la* ***chatte,*** *mais j'aime pas : quand ça repousse, ça pique.* • *Everyone is shaving their pussy these days but I don't like it. When it grows back, it itches.*

AS IT IS IN THE CASE IN ENGLISH, THERE ARE MANY DIFFERENT TERMS THAT REFER TO FEMALE GENITALIA IN FRENCH:

LA CHATTE, LE MINOU, LA FOUFOUNE, LA MOULE, LA TOUFFE, LA ZÉZETTE, LE BERLINGOT, LA SCHNECK...

chaud *adj., fam.*

1 TOUGH, SHORT ON TIME

—*Terminer ce travail aujourd'hui, c'est* ***chaud*** *: il nous reste que deux heures.* • *It's going to be tough to* *finish the work today: we only have two hours left.*

2 chaud/e, chaudasse *adj., n., fam.*

HOT AND HORNY, HOT BABE

—C'est une vraie ***chaudasse****, même au boulot elle drague tout ce qui porte un slip.* • *She is really hot and horny, even at work she'll flirt with anything wearing boxer shorts.*

chelou *adj., verlan*
(louche)

SHADY, SEEDY, STRANGE

—Il est ***chelou****, ce mec : il parle à personne, il regarde pas les gens dans les yeux.* • *That guy is pretty shady: he doesn't talk to anyone, he doesn't look anyone in the eye.*

chialer *v., fam.*

TO BLUBBER, TO CRY, TO BALL, TO SOB

—Arrête de ***chialer****, y'a ton rimmel qui coule.* • *Stop blubbering, your mascara is running.*

chiant/e *adj., fam., vulg.*

BORING, PAIN IN THE ASS, TAKE IT OUT

—Elle était ***chiante****, cette fête, j'suis parti au bout de cinq minutes.* • *The party was really boring, I left after five minutes.*

chiasse *n. f., fam., vulg.*

THE RUNS, DIAORRHEA

—J'ai bouffé tellement de pruneaux que j'ai chopé la ***chiasse****.* • *I ate so many prunes that I got the runs.*

chier *v., fam., vulg.*

1 TO SHIT, TO DROP A TURD

—J'en ai marre des gens qui laissent ***chier*** *leurs chiens sur le trottoir, c'est dégueulasse.* • *I'm so sick of people who let their dogs shit on the sidewalk, it's disgusting.*

2 chieur/euse *adj., n., fam., vulg.*

PAIN THE ASS, PEST

—Son mec est un ***chieur****. Il l'appelle toutes les cinq minutes pour savoir ce qu'elle fait.* • *Her boyfriend is a real pain in the ass. He calls her every five minutes to check up on her.*

3 ça va chier *loc., fam.*

ALL HELL WILL BREAK LOOSE, THE SHIT WILL HIT THE FAN

—Si je rentre pas avant minuit, ***ça va chier****.* • *If I'm not home before midnight, all hell will break loose.*

4 être chié/e *loc., fam.*

TO HAVE SOME NERVE

—Putain, il ***est chié****, lui ! Il double tout le monde.* • *He has some nerve! He just cut in front of everyone.*

5 faire chier qqn *loc., fam.*

TO ANNOY, TO IRRITATE, TO GET ON ONE'S NERVES

—Tu veux arrêter de ***me faire chier*** *avec tes conneries ?* • *Are you going to stop annoying me with your bullshit?* Often used in a shorter, more abbreviated form: "**fait chier !**"

6 se faire chier *loc., fam.*

TO BE BORED

*—J'ai dormi pendant « Titanic », je **me suis fait** trop **chier**.* • *I was so bored that I slept through "Titanic".*

chiotte *n. m. et f., sing. et pl., vulg.*

1 SHITTER, CRAPPER, BATHROOM

*—Sors des **chiottes**, je vais vomir !* • *Get out of the shitter, I need to throw up!*

2 de chiotte *loc.*

SHITTY, BAD

*—Elle a un goût de **chiotte** pour s'habiller, on dirait la reine d'Angleterre.* • *She has a shitty fashion sense. She dresses like the queen of England.*

In France, the toilets are often located in a separate room from the bathroom and have a number of different words that refer to them: **les W-C**, **les chiottes**, **les cabinets**, **les gogs** ou **gogues**, **les goguenots**, **le petit coin**, **le pipi-room**…

chômedu *n.m., fam., défor.* (chômage)

ON THE DOLE, JOBLESS

*—Il est au **chômedu**. Il vient de perdre son taf.* • *He's on the dole. He just lost his job.*

choper *v., fam., fig.*

TO GET CAUGHT, TO GET NAILED

*—Elle **s'est fait choper** en train de voler dans le supermarché.* • *She got caught trying to steal at the supermarket.*

chouia (un) *loc., fam., ar.*

A LITTLE BIT

*—Dans ma recette, je mets qu'**un chouia** de sel.* • *In my recipe, I add a little bit of salt.*

chourer *v., fam., rom.*

SHOPLIFTING, STEALING, NICKING

*—Sigfried s'est fait piquer en train de **chourer**. Il savait pas qu'il y avait des caméras au supermarché.* • *Sigfried got caught shoplifting. He didn't know there were cameras in the supermarket.*

chtar *n. m., fam.*

1 DENT, BUMP, PUNCH

*—T'as vu le **chtar** sur ma bagnole ? Putain, les gens savent pas se garer !* • *Did you see the dent in my car? Man, people really don't know how to park!*

2 ZITS, PIMPLES

*—J'vais pas aller en boîte, avec les **chtars** que j'ai sur la gueule.* • *I'm not going clubbing with these zits on my face.*

chtarbé/e *adj., fam.*

CRAZY, NUTS, INSANE, OUT OF ONE'S MIND

cinoche *n. m., fam.*

1 MOVIES, FILM, FLICK, (PICTURE) SHOW

*—On va au **cinoche** ce soir ? Y a le dernier film de Jean-Pierre Jeunet.* • *Are we going to the movies tonight. The latest film from Jeunet is on.*

2 DRAMA, PLAY-ACTING

*—Arrête ton **cinoche**, je t'ai même pas touché.* • *Cut the drama, I barely even touched you.*

cité *n. f.*

COUNCIL ESTATE HOUSING [UK], HOUSING PROJECTS [US]

Cités refer to residential urban living centres, often publicly financed and populated by the poorer classes, blue-collar workers, immigrants or people on the dole (welfare). Most were erected in the 70's in most big cities around the world. Whatever utopic ideology may have been behind them at the time of their construction, they today consist mostly of ghettos, home to drug dealers and gangs. Today they carry a very negative connotation.

clamser *v., arg.*

TO CROAK ,TO DIE, TO PASS AWAY, TO GIVE UP THE GHOST

Also **clapser**.

*—Son reup **a clamsé** quand il était p'tiot.* • *His old man croaked when he was a little boy.*

claquer *v., fam.*

1 TO SLAP, TO HIT

*—S'il recommence à me faire chier, je le **claque**.* • *If he starts annoying me again, I'm going to slap him.*

2 TO BLOW, TO SPEND

*—Il **a claqué** toute sa thune dans la maison. Il a plus un rond.* • *He blew all of his money on his house. He doesn't have a penny left.*

3 TO BE AWESOME / IMPRESSIVE / KILLER / SLAMMING

*—Elle **claque**, la qualité de ton écran. J'aimerais trop avoir un portable comme le tien.* • *The quality of your screen is awesome. I wish I had a computer like yours.*

4 claqué/e *adj., fam.*

WHOOPED [USA], TIRED, KNACKERED [UK]

*—Je **suis claquée**. J'ai un rythme de ouf au boulot. Vivement les vacances !* • *I am whooped. Work is non-stop. I can't wait for a vacation!*

clean *adj., fam., angl.*

It is pronounced "klin".

1 STRAIGHT, CLEAN, SOBER (no longer consuming drugs)

*—Depuis qu'elle est redevenue **clean**, elle a décidé de reprendre ses études.* • *Ever since she went straight, she decided to start studying again.*

2 LEGIT, LEGAL, STRAIGHT

—Ok, y a plein de mafieux dans l'immobilier, mais David, lui, il est ***clean.*** • *OK, there's a lot of crooks in real estate but David is legit.*

clebs *n. m., fam., ar.*

POOCH, HOUND, POOCH
Also **klebs**, **clébard**, **klébard**.

clodo *n. m. et f., abrév.*

(clochard)
HOBO, BUM, VAGABOND, HOMELESS

—Y'a de plus en plus de ***clodos*** *qui dorment dans les rues en hiver.* • *There are more and more hobos sleeping in the streets in the winter.*

cloque (en) *loc., arg.*

KNOCKED UP [USA], UP THE DUFF [UK], PREGGERS

—Elles me font marrer, ses idées loufoques, depuis qu'elle est ***en cloque.*** (quote from a song by Renaud) • *The crazy ideas she's had ever since she got knocked up make me laugh.*

clubeur/euse *n., fam.*

Also **clubbeur/euse**.
NIGHTCLUBBER

—C'est un vrai ***clubeur,*** *il sort toutes les nuits.* • *He's a real nightclubber, he goes out every night.*

con *adj., fam., vulg.*

1 con/ne *adj., n., fam., vulg.*

Also **connard/connasse**. More derogatory than **con/ne**.
ASSHOLE, IDIOT, STUPID

—Tous les vieux (…) prennent les jeunots pour des ***cons.*** (quote from a song by Georges Brassens) • *All old people (…) think young people are assholes.*

Con (masculine form) can aslo be used in reference to woman:

—Elle est ***con,*** *cette meuf.* • *That girl is so stupid.*

2 TOO BAD, DISAPPOINTING

—C'est ***con*** *que tu m'aies pas dit que tu étais revenue, on aurait pu bouffer ensemble.* • *It's too bad you didn't tell me you were back. We could have had lunch together.*

3 à la con *loc.*

PATHETIC, SILLY, RIDICULOUS

—Son portable ***à la con*** *marche une fois sur deux.* • *This pathetic phone doesn't work half the time.*

connerie *n. f.*

BULLSHIT

—Cette réforme, c'est vraiment d'la ***connerie*** *!* • *This reform is pure bullshit!*

costard *n. m., fam.*

1 SUIT

2 tailler un costard, tailler une veste à qqn *loc.*

TO TALK (SHIT) BEHIND SOMEONE'S BACK

—Quand le chef est parti de la fête, sa secrétaire ***lui a taillé un costard*** *qui a étonné tout le monde.* • *When the boss left the party, his secretary surpised everyone by talking behind his back.*

couille *n. f., fam., vulg.*

1 TESTICLE, BALL, NUT, GOOLIE

—Lance Armstrong a eu un cancer des ***couilles*** *et pourtant il a gagné plusieurs Tours de France.* • *Lance Armstrong won several Tour de France races despite having had cancer of the testicles.*

2 GLITCH, PROBLEM, MISTAKE, ERROR

—Il y a une ***couille*** *dans mon exercice de maths. J'arrive pas au même résultat que le prof.* • *There is a glitch somewhere in my calculation. I didn't get the same result as my math teacher.*

3 se barrer en couille, partir en couille *loc.*

FALLING APART, GONE TO THE DOGS, GONE TO SHIT

—Son mariage ***se barre en couille.*** *Sa femme a demandé le divorce.* • *His marriage has fallen apart. His wife has asked for a divorce.*

4 s'en battre les couilles *loc., vulg.*

TO NOT GIVE A SHIT, CARE LESS

—Je ***m'en bats les couilles*** *si t'as plus un rond. Demande à quelqu'un d'autre de la thune.* • *I don't give a shit if you're broke. Ask somebody else for money.*

5 se faire des couilles en or *loc., fam., vulg.*

TO MAKE A FORTUNE / A KILLING

—À force de gagner au poker, il ***s'est fait des couilles en or.*** • *He keeps winning at poker and has earned a fortune.*

Other words for "couilles" : les burnes, les burettes, les coucougnettes, les boules, les bouboules, les roubignoles, les roupettes, les roustons…

couillon/ne *adj., n., fam.*

1 MORON, IMBECILE, IDIOT

—Quel ***couillon*** *! Il a copié la rédaction de Sophie et il a même pas changé une virgule. Le prof l'a grillé évidemment.* • *What a moron! He copied Sophie's essay without even changing the slightest comma. The teacher caught him, obviously.*

2 couillonner *v., fam.*

TO GET RIPPED OFF

—Pourquoi tu continues à aller dans sa boutique? T'en as pas marre de te faire ***couillonner*** *?* • *Why do you keep going into his store? Aren't you sick of getting ripped off?*

crado *adj., fam.*

Also **crados, cracra, crade, cradingue**.

GRIMY, DIRTY, DISGUSTING

—*Touche pas le chien. Il est* ***crado.*** • *Don't touch the dog. He's really grimy.*

craignos *adj., fam.*

The final 's' is not silent.

1 UNCOOL, FUNKY, SUCKS

—*Il est* ***craignos*** *ton costume. Tu peux pas passer un entretien de travail avec ça.* • *Your suit is uncool, man. You can't go to an interview like that.*

2 SCARY, HARD

—*Dans mon quartier, y a des mecs* ***craignos*** *qui rôdent. Ma mère a la trouille.* • *In my neighbourhood, there are scary guys hanging around. They frighten my mum.*

craillave *v., arg., rom.*

Also **crillave**, **criave**. These are verbs that do not conjugate.

TO EAT

—*J'ai trop la dalle. J'ai rien* ***craillave*** *aujourd'hui.* • *I'm starving. I've had nothing to eat today.*

craindre *v., fam.*

TO SUCK, TO BE FUCKED UP

—*Ma sœur ne va pas au mariage de mon frère ; ça* ***craint.*** • *My sister isn't going to my brother's wedding; it sucks!*

crasse (faire une) *loc.*

TO DO SOMETHING UNCOOL, TO DO A BAD THING

—*La pire* ***crasse que tu puisses faire*** *à ton ex, c'est de sortir avec son meilleur ami.* • *The worst uncool thing you could do to your ex is go out with his best friend.*

crève *n.f., fam.*

COLD, FLU

—*Je crois que j'ai chopé la* ***crève,*** *je me sens pas bien.* • *I think I caught a stinking cold, I'm not feeling very well.*

crever *v., fam.*

1 TO DIE, TO CROAK

—*Y a toujours trop de gens qui* ***crèvent*** *sur la route l'été.* • *There are always too many people dying in car accidents in the summer.*

2 KNACKERED, TIRED, WHOOPED

—*J'ai passé la journée à faire du roller, j'****suis crevé.*** • *I've been skating all day and I am knackered!*

se croûter *v., fam.*

TO FALL, TO HAVE AN ACCIDENT

—*Il* ***s'est croûté*** *à vélo et il est rentré à la maison couvert de sang.* • *He fell off his bike and went home covered in blood.*

cuite *n.f.*

1 BOOZE UP, DRINKING SPREE

2 se cuiter *v.*

TO GET HAMMERED / PLASTERED / DRUNK

—Le soir où il a retrouvé ses copains d'enfance, il ***s'est cuité*** *avec eux.* • *The night he hooked up with his old friends from school, he got completely hammered with them.*

THERE ARE A NUMBER OF DIFFERENT WORDS IN FRENCH THAT REFER TO ONE'S BACKSIDE: LE CUL, LE TRAIN, L'ARRIÈRE-TRAIN, LE BOULE, LES FESSES, LES MICHES, LE PÉTARD, LE POPOTIN, LE BABA, LE DERCHE, LE PANIER...

cul *n. m., fam., vulg.*

1 ASS, CUNT

2 avoir du cul *loc., vulg.*

TO BE LUCKY, FORTUNATE

—Putain, ***il a du cul,*** *il a touché 5 000 euros au loto !* • *God dammit he's lucky, he just won 5,000 euros on the loto!*

3 avoir la tête dans le cul *loc., vulg.*

TO HAVE ONE'S HEAD UP ONE'S ASS

—J'suis plus tout jeune, si je fais la fête deux nuits de suite, la troisième jour ***j'ai la tête dans le cul.*** • *I'm not so young anymore. If I party two nights in a row, I'll have my head up my ass.*

4 avoir le cul bordé de nouilles *loc., vulg.*

TO HAVE A LUCKY STAR, TO BE VERY LUCKY

—Il ***a le cul bordé de nouilles,*** *il a hérité de la maison d'une tante inconnue.* • *He really has a lucky star, he inherited the house from an unknown aunt.*

5 avoir le cul entre deux chaises *loc., fam.*

TO BE STUCK BETWEEN A ROCK AND A HARD PLACE

—Elle ***a le cul entre deux chaises*** *: elle ne sait pas si elle reste avec son mari ou si elle part vivre avec son amant.* • *She's stuck between a rock and a hard place: she doesn't know whether to stay with her husband or go live with her lover.*

6 cucul (la praline) *adj., fam.*

CHEESY, SACCHARINE

—Les histoires romantiques comme celle de « Titanic » sont vraiment ***cucul la praline.*** • *Romantic stories like "Titanic" are too cheesy for me.*

7 en avoir plein le cul *loc., vulg.*

TO HAVE IT UP TO HERE,
TO BE FED UP

—*Elisa* ***en a plein le cul*** *de sa mère, elle va bientôt s'émanciper.* • *Elisa has had it up to here with her mother, she is going to move out soon.*

8 être cul et chemise *loc., fam.*

THICK AS THIEVES,
INSEPERABLE, BEST BUDDIES

—*Obélix et Astérix* ***sont cul et chemise,*** *ils se battent toujours ensemble contre les romains.* • *Obélix and Astérix are thick as thieves, always fighting against the Romans together.*

9 l'avoir dans le cul *loc., vulg.*

TO GET/BE FUCKED,
TO TAKE IT UP THE ASS

—*Je* ***l'ai dans le cul,*** *j'ai raté la date finale des inscriptions à la fac.* • *I'm fucked, I missed the deadline for registration.*

10 se casser le cul *loc., vulg.*

TO BUST ONE'S ASS

—***J'me suis cassé le cul*** *à repeindre la porte du garage, et y a déjà des connards qui sont venus la taguer.* • *I busted my ass repainting the garage and some assholes came and vandalised it with graffiti.*

11 se geler le cul *loc., vulg.*

TO FREEZE ONE'S ASS OFF

—*On* ***s'est gelé le cul*** *pendant les vacances en Norvège.* • *We froze our asses off during our vacation in Norway.*

12 se sortir les doigts du cul *loc., vulg.*

BUST A MOVE, TO GET ONE'S THUMB OUT OF ONE'S ASS,
MOVE YOUR ASS

—*Arrête de te plaindre que t'es tout seul,* ***sors-toi les doigts du cul*** *et inscris-toi sur Meetic.* • *Stop complaining that you're lonely. Bust a move and sign yourself up on an online dating service.*

13 se taper le cul par terre *loc., fam.*

a FULARIOUS

—*Les films de Louis de Funès sont à* ***se taper le cul par terre.*** • *The films of Louis de Funes are absolutely fularious.*

b TO DIE FOR

—*Ton gâteau est à* ***se taper le cul par terre.*** • *Your cake is to die for.*

14 tomber sur le cul, en avoir le cul troué *loc., vulg.*

TO BE BLOWN AWAY / STUNNED,
TO BE FLOORED

—*J'suis* ***tombé sur le cul*** *quand ma grand-mère m'a dit qu'elle allait se remarier.* • *I was blown away when my grand-mother said she was getting remarried.*

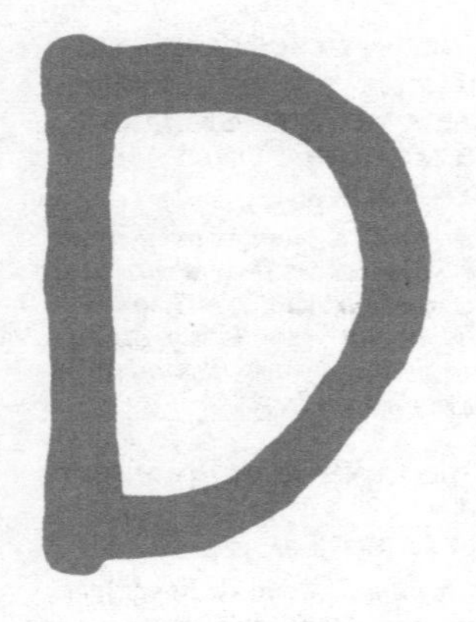

daron/ne *n., arg.*

OLD LADY, OLD MAN (mother, father)

*—La **daronne** de Mich est bien conservée pour son âge. On dirait Sharon Stone. • Mich's old lady looks great for her age. She looks like Sharon Stone.*

daube *n. f., fam.*

1 RUBBISH, SHIT, SOMETHING BAD, CRAPPY AWFUL, JUNK

*—Hier y avait une grosse **daube** à la télé, j'ai roupillé dans le salon toute la nuit. • There was a crap programme on TV last night. I fell asleep in the living room.*

2 dauber *v., arg.*

TO STINK (TO HIGH HEAVEN), TO SMELL

*—Mets tes baskets dehors, ça **daube** ici ! • Get those shoes out of here they stink to high heaven!*

deal *n. m., fam., angl.*

1 DEALING, DEAL (drug)

*—Le **deal** de coca est le principal problème de mon quartier. • Cocaine dealing is the main problem in my neighbourhood.*

2 DEAL, BARGAIN

*—C'est un super **deal** qu'il te prête sa bagnole en échange de ta bécane. • It's a great deal to offer to lend you his car in exchange for your motorbike.*

décalqué/e *adj., fam.*

WRECKED, WASTED

*—J'ai pas dormi de la nuit, j'suis **décalqué**. • I haven't slept all night. I'm wrecked.*

déchirer

1 déchiré/e *adj., fam.*

a FUCKED UP, LOADED, TRASHED

*—Ce mec y va pas faire de vieux os. Il est **déchiré** 24 heures sur 24. • That guy won't see old age. He's fucked up 24/7.*

b TO BE DEVASTATED, A WRECK

2 déchirer (sa mère, sa race) *v., arg.*

TO KICK ASS

—Le dernier skeud de NTM, il ***déchire sa race.*** • *NTM's last CD really kicks ass.*

déconner *v., fam.*

1 TO FUCK AROUND

—Arrête de ***déconner*** *! On va nous virer du ciné.* • *Quit fucking around! They're going to kick us out of the cinema.*

2 KIDDING, JOKING, LYING

—Tu ***déconnes*** *? T'as pas vu Johnny Depp au supermarché ?* • *You're kidding? You didn't see Johnny Depp at the supermarket?*

3 TO BE ON THE BLINK

—Putain, mon ordi ***déconne.*** *Je vais devoir le changer.* • *Dammit, my pc is on the blink. I'm going to have to get a new one.*

défoncer *v., fam.*

1 TO KICK SOMEONE'S ASS/ FACE IN, MASSACRE, BEAT UP

—J'vais le ***défoncer,*** *le videur de la boîte, il m'a pas laissé rentrer la dernière fois.* • *I'm gonna kick that bouncer's face in. He didn't let me in last time.*

2 défoncé/e *adj., fam.*
Also, **défonce**.

a PLASTERED, STONED

b WRECKED, EXHAUSTED, KNACKERED, WHOOPED

3 se défoncer *v., fam.*

a TO GIVE ONE'S ALL, TO PUSH ONESELF

—Ils ***se sont défoncés*** *dans le spectacle. Ça a été formidable.* • *They really gave it their all in the show. It was fantastic.*

b TO GET HIGH / STONED

—Les toxicos d'en bas ***se défoncent*** *à n'importe quoi, même à la colle.* • *The junkies downstairs will get high on anything, even glue.*

dèg (être) *loc., arg., abrév.* (dégoûté)

GUTTED, DISGUSTED,

*—Putain, j'****suis dèg,*** *j'ai pas eu mon permis.* • *Man, I'm gutted, I didn't pass my driver's test.*

dégager *v., fam.*

TO GET LOST, TO BEAT IT

*—****Dégage,*** *je veux plus te voir !* • *Get lost, I don't want to see you anymore!*

dégobiller *v., fam.*

TO BARF, TO PUKE, TO VOMIT

—J'ai tout ***dégobillé.*** *Je crois que les huîtres étaient pas fraîches.* • *I barfed up everything. I think the oysters weren't fresh.*

dsl *SMS et mails, abrév.* (désolé/e)

SORRY

éclater *v., fam.*

1 TO MAKE SOMEBODY LAUGH

*—Il m'**éclate**, Gad Elmaleh, il est trop marrant.* • *Gad Elmaleh really slays me, he's so funny.*

2 TO HAVE A GREAT / GOOD TIME

*—Ils se sont bien **éclatés**, les gamins, au cirque.* • *The kids had a great time at the circus.*

écolo *n., adj., abrév.* (écologiste)

ENVIRONMENTALIST, ECOLOGIST, GREEN

s'écraser *v., fam.*

TO SHUT UP, TO PUT A SOCK IN IT, TO GIVE IT A REST

*—**Écrase**, on s'en fout de ta vie !* • *Shut it, we don't care about your life.*

embrouiller *v., fam.*

TO FOOL, TO MIX UP, TO LIE

*—M'**embrouille** pas, je me fous de tes bobards, tu me rends ma thune.* • *Don't try and fool me, I'm sick of your rubbish, give me back my money.*

s'emmerder *v., fam.*

1 TO GET ON ONE'S NERVES

*—Tu commences à m'**emmerder** avec tes problèmes de cul, j'en ai rien à foutre.* • *You're starting to get on my nerves, going on about your sex life. I really don't give a shit.*

2 TO BE BORED

*—Si vous vous **emmerdez**, cassez-vous.* • *If you're bored, leave.*

3 emmerdeur/euse *adj., fam.*

PAIN IN THE ASS, PEST

*—Dans ce film, Jacques Brel joue le rôle d'un **emmerdeur** dépressif et suicidaire.* • *In this film, Jacques Brel plays a depressive and suicidal pain in the ass.*

enculer *v., vulg.*

1 TO GO FUCK YOURSELF (*lit. et fig.*), TO GET FUCKED

*—Tu me fais chier, va te faire **enculer** !* • *You annoy me, go fuck yourself!*

2 enculé/e *n., vulg.*

ASSHOLE, STUPID BASTARD

*—Cet **enculé** a chouré mon portable et, en plus, il a appelé à l'étranger !*

ÇA A ÉTÉ UNE SOIRÉE
D'ENFER, Y AVAIT DES
ANNÉES QUE JE NE
M'ÉTAIS PAS ÉCLATÉ
COMME ÇA ! • THAT WAS
A KICK-ASS PARTY. I HAVEN'T
HAD THAT MUCH FUN
IN YEARS!

• *That asshole stole my mobile and then made overseas phone calls!*

3 enculer les mouches *loc., vulg.*

a NIT-PICKY

b TO SPLIT HAIRS, QUIBBLE

d'enfer *loc., fam.*

KICK ASS, AWESOME

—*Ça a été une soirée* ***d'enfer****, y avait des années que je ne m'étais pas éclaté comme ça ! • That was a kick-ass party. I haven't had that much fun in years!*

enfoiré/e *adj., n., vulg.*

BASTARD, SON OF A BITCH

Also **enflure**.

engueulade *n. f., fam.*

1 ROW, ARGUMENT, BAWLING OUT

—*Au dernier anniversaire de papi, y'a encore eu une* ***engueulade*** *à propos de l'oseille de mamie. • At grandpa's last birthday, there was another severe row about grandma's money.*

2 engueuler *v., vulg.*

a TO YELL AT SOMEONE

b engueuler qqn comme du poisson pourri *loc., fam.*

TO TELL SOMEONE OFF, TO BAWL SOMEONE OUT

équerre *n.f.*

être d'équerre *loc., fam.*

TO BE EXTREMELY RELIABLE

espèce de *loc., péj.*

YOU...

—*Qu'est-ce que t'as fait,* ***espèce d'****idiot ! • What have you done, you idiot!*

étonnes (tu m') *loc., fam.*

Meant to be used in an ironic sense.

NO SURPRISE, NO SHIT, NO KIDDING, DUH

—***Tu m'étonnes*** *qu'il parle plus à son père : il lui a piqué sa meuf ! • No surprise he's no longer speaking to his father: he stole his girl!*

exploser qqn *v., fam.*

1 TO GET OWNED

—*J'étais en tête tout le long de la partie, mais finalement je me suis fait* ***exploser*** *par l'autre joueur. • I was in the lead for the whole game but I ended up by getting owned by the other player.*

2 explosé/e *adj., fam.*

KNACKERED, WHOOPED

—*Après la gym, j'suis toujours* ***explosée.*** *• I'm always knackered after going to the gym.*

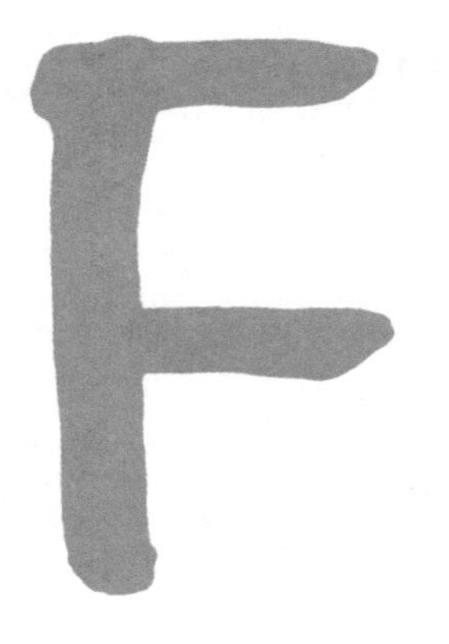

facho *n. m., adj., fam.*

FACIST, NAZI

*—Mon voisin, c'est un vrai **facho**, il déteste les étrangers et tous ceux qui sont pas blancs. • My neighbour is a real facist. He hates anyone who is foreign or not white.*

fait (ça le) *loc., fam.*

THAT'LL DO, COOL
The intonation plays on how it will be interpreted.

*—Moi, je dis que 50 euros la soirée pour la babysitter, **ça l'fait**. • I think that 50 euros a night for the babysitter should do it.*

fastoche *adj., fam.*

EASY AS PIE, WITH MY EYES CLOSED

*—L'examen final était **fastoche**, comparé à celui de l'année dernière. • The exam was as easy as pie compared to last year.*

feumeu *n. f., verlan*
(meuf, *verlan de* femme)

CHICK, GIRL, DOLL

fissa *adv., ar.*

PRONTO, QUICKLY, ON THE DOUBLE

*—Tu vas me ranger ta chambre **fissa** sinon tu sors pas ce soir, compris ? • You better clean this room pronto if you hope to go out tonight, got it?*

flaguer *v., de* flagrant délit

BUSTED, CAUGHT IN THE ACT, NAILED

*—Il s'est fait **flaguer** par sa femme avec une tepu dans leur propre lit. • He got busted with a bitch by his wife in their own bed.*

flic *n. m.*

1 COP

2 flicage *n. m., fam.*

POLICED

*—J'en ai plein le cul du **flicage** de mon chef, je peux pas passer un coup de fil sans qu'il me demande à qui je parle. • I'm sick to death of being policed by my boss. I can't make a single phone call without him asking me who I am talking to.*

3 flicaille *n. f., fam. et péj.*

PIGS, FUZZ, FIVE-O

flipper *v., angl.*

FREAK OUT, TRIP

fliquer *v., fam., de flic*

TO SPY, TO SUPERVISE, TO BE UNDER SURVEILLANCE

*—Partout on installe des caméras dans les rues pour **fliquer** les gens.* • *They're setting up surveillance cameras everywhere to spy on people...*

foirer *v., fam.*

1 TO NOT WORK / FUNCTION, TO FUCK UP

*—J'en ai marre de ce téléphone qui **foire** tout le temps, j'entends pas les appels.* • *I'm sick of this phone that never works, I can't hear it ringing.*

2 TO BOMB, TO FAIL, TO FLOP

*—La présentation de son bouquin **a foiré**, y a pas eu assez de publicité et personne n'est venu.* • *His book presentation bombed. There wasn't enough publicity and nobody showed up.*

3 foireux/euse *adj., fam.*

BAD DEAL, DOOMED, SHITTY

*—Cet investissement en bourse était un plan **foireux**, il a perdu tout son argent.* • *The stock investments were a bad deal, he lost all of his money.*

fouetter *v., fam.*

TO MING

*—Ça **fouette** ici, ouvre la fenêtre, je vais m'asphyxier.* • *It mings in here, open a window, I'm suffocating.*

foufoune *n. f.*

PUSSY, VAGINA, CUNT, TWAT

foutage de gueule

loc., vulg.

INSULTING, MAKE FUN OF SOMEONE, MAKE AN ASS OF SOMEONE, A MOCKERY

*—Le discours du ministre sur la baisse du chômage, c'est du **foutage de gueule**, personne n'y croit.* • *The minister's speech on unemployment was insulting, nobody believed it.*

foutoir *n. m., fam.*

PIGSTY, MESS, DUMP

*—Quel **foutoir** ici ! On retrouverait même pas un éléphant dans cette pièce !* • *This place is a pigsty! You couldn't find an elephant in here!*

foutre

1 *n. m., vulg.* SEMEN, SPUNK

2 *v., vulg.* TO DO

*—Qu'est-ce que tu **fous** dans ma chambre ? Je t'ai déjà dit de pas y entrer !* • *What are you doing in my room? I've already told you never to come in here!*

It's difficult to find an equivalent of "foutre" in English. It's like mixing the above verbs with the word "fuck".

3 *v., vulg.* TO PUT, TO PLACE, TO GIVE

—*Où as-tu* ***foutu*** *mon bouquin ? Je le retrouve plus.* • *Where the fuck did you put my book? I can't find it anywhere.*

4 aller se faire foutre *loc., vulg.*

GO FUCK YOURSELF [US], GET FUCKED [UK]

—***Allez*** *tous* ***vous faire foutre,*** *je fêterai mon anniversaire sans vous.* • *You can all go fuck yourselves, I'll celebrate my birthday without you.*

5 n'en avoir rien à foutre *loc., fam.*

TO NOT GIVE A SHIT / A FUCK / A TOSS, TO NOT CARE LESS

—***J'en ai rien à foutre*** *de tes problèmes, débrouille-toi tout seul.* • *I don't give a shit about your problems, deal with them on your own.*

6 se foutre de *loc., fam.*

TAKE THE PISS [UK], TO MOCK, TO MAKE FUN OF, TO POKE FUN

—*Arrête de* ***te foutre de*** *sa gueule, c'est pas de sa faute s'il a un bras plus court que l'autre.* • *Quit taking the piss out of him, it's not his fault that he has one arm shorter than the other.*

fracassé *adj., arg*

FUCKED UP, HIGH

Also **foncedé/e, fonfon, fraca, cassfra**.

franchouillard/e *adj. péj.*

TYPICALLY FRENCH, FRANCO-FRENCH, FROGGY

—*Quand Jeannette parle espagnol, on entend son accent* ***franchouillard.*** • *When Jeannette speaks Spanish you can hear her typically French accent.*

frangin/e *n., arg.*

BROTHER/BRO, SISTER/SIS

—*T'as sept* ***frangins*** *et trois* ***frangines*** *! Quelle grande famille !* • *You have seven brothers and three sisters! What a big family!*

fric *n. m., fam.*

MONEY, CASH, GREEN, DOUGH, BREAD, BUCKS

frime *n. f., fam.*

1 PRETENCE

2 frimer *v., fam.*

TO SHOW OFF, TO BRAG, TO SWANK

—*Tu* ***frimes,*** *tu* ***frimes*** *mais tu nous impressionnes même pas.* • *You're showing off but you're not impressing us.*

3 frimeur/euse *adj., fam.*

A SHOW-OFF, SOMEONE WHO IS PRETENTIOUS, A BRAGGART

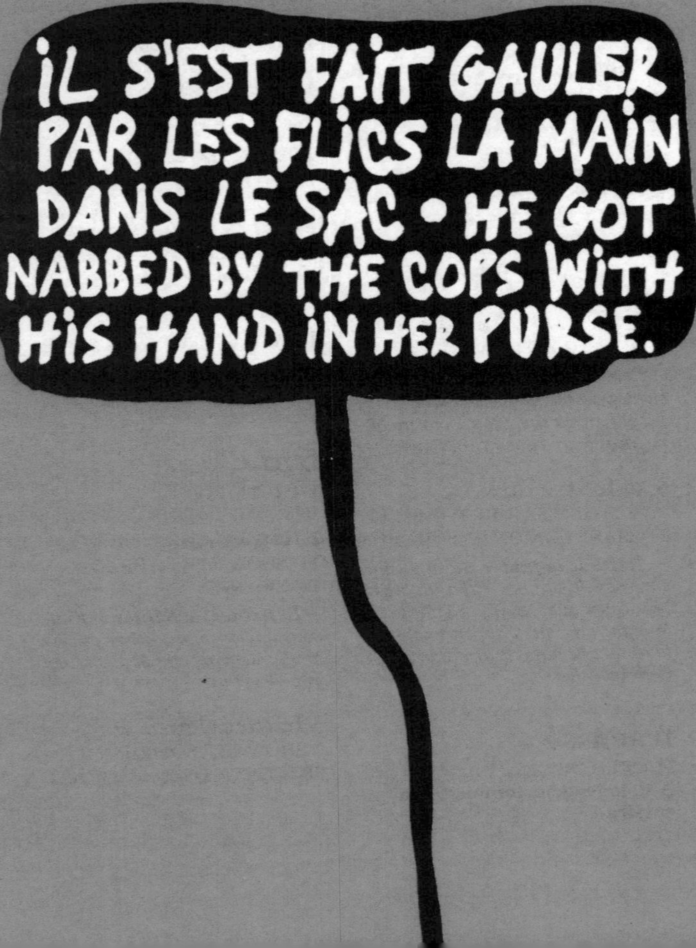

IL S'EST FAIT GAULER PAR LES FLICS LA MAIN DANS LE SAC • HE GOT NABBED BY THE COPS WITH HIS HAND IN HER PURSE.

gadji, gadjo *n., rom.*
(gypsy) WOMAN, (gypsy) MAN

gaffe *n.f., fam.*
1 BLUNDER, MISTAKE

2 faire gaffe *loc., fam.*
TO WATCH OUT, TO BE CAREFUL, TO WATCH YOUR ASS

*—**Fais gaffe** dans le métro, te fais pas chouraver ton portefeuille. • Watch out you don't get pickpocketed on the metro.*

3 gaffer *v., fam.*
TO MAKE A MISTAKE, TO BLUNDER

gageder *v., verlan*
(dégager)
Also gagedé.
TO GET LOST, BEAT IT, TO GET OUT OF MY SIGHT, TO GET OUTTA HERE

*—Vas-y, **gagedé** avant que je te casse la gueule. • Go on, get outta here before I kick your ass.*

galérer *v., fam.*
1 TO HAVE A HARD TIME, TO HAVE DIFFICULTY, TO STRUGGLE

*—On **a galéré** pour trouver ton appart, t'habites dans le trou du cul du monde. • We had a hard time finding your apartment, you live in bumblefuck.*

2 galère *n.f., fam.*
HELL, JAM

*—Quelle **galère**, je vais partir en vacances avec toute la famille. • What hell, I'm going on vacation with my entire family.*

se gaufrer *v., fam.*
TO FALL FLAT ON ONE'S FACE, TO HAVE AN ACCIDENT

*—Depuis qu'il **s'est gaufré** il y a deux ans, il veut plus remonter sur son vélo. • Ever since he fell flat on his face two years ago, he won't get on his bike anymore.*

gaule
1 avoir la gaule *loc., vulg.*
TO HAVE A HARD-ON / A STIFFY / A BONER

2 gauler *v., fam.*
TO GET NABBED / CAUGHT / NICKED

*—Il **s'est fait gauler** par les flics la main dans le sac.* • *He got nabbed by the cops with his hand in her purse.*

ça gaze ? *loc., fam.*

WHAT'S UP? HOW'S IT GOING? WHAT'S HAPPENING?

*—Comment ça va ? **Ça gaze** ?* • *How 're you doin'? What's up?*

genre *interj.*

1 YEAH, WHATEVER! AS IF! (*iron.*)

*—Tu veux me faire croire que t'as rencontré Paris Hilton pendant tes vacances ? **Genre** !* • *You want me to believe that he met Paris Hilton on vacation? Yeah, whatever!*

2 (faire) genre *loc.*

(TO ACT) AS IF

*—Jean-Noël va au boulot en costard, **genre** c'est un mec sérieux.* • *Jean-Noël wears a suit to work, as if he were a serious guy.*

gerber *v., fam.*

1 TO PUKE, TO VOMIT, TO BARF

2 donner la gerbe *loc.*

NAUSEATING, MAKES ONE WANT TO PUKE

glandes *n. f. pl., fam.*

Less used than the term "les boules".

1 TESTICLES, BALLS

2 avoir les glandes, choper les glandes *loc.*

a TO BE AFRAID

b TO FEEL DEPRESSED

3 foutre les glandes *loc.*

TO GIVE YOU THE CREEPS / THE WILLIES

4 glander *v., fam.*

TO LAZE AROUND, TO BUM ABOUT, TO WASTE TIME

5 glandeur/euse *adj., fam.*

LAZY BUM

6 glandu *adj., fam.*

POOR SAP, LOSER, JERK

gober *v., fam.*

TO FALL FOR, TO BELIEVE, TO SWALLOW

*—Il est vraiment naïf, il **gobe** tout.* • *He's really naïve. He'll fall for anything.*

gogues *n. f. pl., fam.*

Also gogs.

TOILETS, SHITTER, JOHN [US], BOGS [UK]

golri *v., verlan*

(rigoler)

TO CRACK UP, TO LAUGH

*—Il me fait **golri,** cet acteur, il est trop marrant.* • *This actor cracks me up. He's too funny.*

gonfler *v., fam.*

1 TO BORE THE SHIT OUT OF SOMEONE, TO BORE, TO TALK ONE'S EAR OFF, WEAR OUT

*—Il nous **gonfle** avec ses problèmes de famille, on en a rien à foutre.* • *He's boring the shit out of us with his family problems, we really don't give a shit.*

2 gonflé/e *adj., fam.*

TO HAVE SOME NERVE, TO BE COURAGEOUS

3 les gonfler *loc., vulg.*

BUSTING MY BALLS

gonzesse *n.f., fam.*

Can also be abbreviated as "**gonz**".

CHICK, BABE, GIRL

gratos *adj., adv., fam., défor.* (gratuit)

The final 's' is meant to be pronounced.

FREE

gratter *v., fam.*

1 TO KNOCK OFF, TO HAGGLE, TO TAKE IT OUT

*—J'ai réussi à **gratter** 20 euros sur le prix du blouson, j'suis content, c'est une bonne affaire.* • *I managed to knock 20 euros off the price of the jacket. I got a bargain.*

2 TO CUT IN FRONT OF, TO GET PASSED UP

*—Je **me suis fait gratter** par une vieille à la queue du supermarché.* • *This old lady cut in front of me in line at the supermarket.*

3 TO SCRIBBLE, TO WRITE

*—À l'examen j'**ai gratté** cinq pages.* • *I scribbled out 5 pages for the exam.*

4 TO STRUM, TO PLUCK, TO PLAY (an instrument)

*—T'a l'air d'un scout à **gratter** ta guitare devant le feu.* • *You look like a boy scout, strumming your guitar in front of the campfire like that.*

5 gratte *n.f., fam.*

AXE

*—Quand il joue de la **gratte**, c'est un vrai plaisir.* • *It's a real pleasure to hear him play his axe.*

grailler *v., fam.*

TO EAT, TO STUFF ONE'S FACE

grave *fam.*

Also **gravos**.

1 *adj.* OUT OF LINE, FAR GONE

*—Elle a volé de l'argent à sa grand-mère qui est dans le coma. Elle est **grave** !* • *She stole money from her grandmother who is in a coma. She's way out of line!*

2 *adv.* LIKE CRAZY, A LOT

*—J'ai bossé **grave**, j'ai envie de*

dormir. • *I've been working like crazy, I want to sleep.*

griller *v., fam. (se faire)*

TO GET BUSTED / TO GET CAUGHT

—Elle ***s'est fait griller*** *par sa mère en train de fumer du shit.* • *Her mother busted her smoking marijuana.*

gueule *n. f., fam.*

1 MOUTH, SNOUT *lit. refers to animal's mouth*

"Ta gueule". Can be used by itself to say shut up or shut it.

—Si c'est pour dire des conneries pareilles, ferme ***ta gueule****.* • *If it's just to spew nonsense, shut your mouth.*

2 TO HAVE THE FACE / THE LOOK OF

—Il a une ***gueule*** *de truand, il se fait arrêter par tous les flics.* • *He just has the face of a criminal. Cops are always arresting him.*

3 avoir de la gueule *loc., fam.*

LOOKING GOOD, BE CLASSY

—Son projet d'entreprise, ça ***a de la gueule****, je crois que ça va marcher.* • *His business plan is looking good, I think it'll work.*

4 avoir une grande gueule *loc., fam.*

TO HAVE A BIG MOUTH

5 avoir une sale gueule *loc., fam.*

TO LOOK UNWELL / UNDER THE WEATHER

6 coup de gueule *loc., fam.*

TO HAVE A FIT

—À toutes les réunions, Pierre pousse un ***coup de gueule*** *mais ça ne sert à rien.* • *Pierre has a fit at every meeting but it never changes anything.*

7 faire la gueule *loc., fam.*

TO BE UPSET / ANGRY, TO POUT

*—**Fais pas la gueule.** Ça peut s'arranger.* • *Don't be upset. We can fix this.*

8 gueule de bois *loc., fam.*

HUNG OVER

9 gueuler *v., fam.*

TO SCREAM, TO YELL, TO SHOUT

10 se casser la gueule *loc., fam.*

TO FALL, TO BREAK ONE'S FACE

11 se fendre la gueule *loc., fam.*

TO HAVE A GREAT TIME,
TO HAVE A HELLUVA TIME

12 se foutre de la gueule de qqn *loc., fam.*

TO MAKE A FOOL OF, TO MAKE FUN OF SOMEONE, TO TEASE

—Ils ***se foutent de ma gueule*** *à la fac, ils m'ont fait revenir trois fois pour leurs papiers à la con.* • *They're making a fool of me at university. They've made me come back three times for paperwork.*

hab (comme d') *loc., abrév.*

(comme d'habitude)

AS USUAL, AS ALWAYS

haine *n.f.*

1 avoir la haine *loc., fam.*

TO BE WORKED UP, TO BE FURIOUS / ANGRY, PISSED OFF

*—Je me suis fait voler mon sac à main avec tous mes papiers, mon portable, mes cartes de crédit... Putain, **j'ai la haine** ! • Man, I am so worked up. I just got my handbag nicked with my purse, mobile and cash cards!*

2 foutre la haine *loc., fam.*

TO PISS OFF, TO MAKE ANGRY

halluciner *v., fam.*

TO NOT BELIEVE, TO BE TAKEN ABACK

*—**J'hallucine,** Marie a chopé le numéro de téléphone de Brad Pitt ! • I can't believe it, Marie managed to get Brad Pitt's phone number!*

halouf *n. m., fam.*

Meaning pig in Arabic. Also, **hralouf, allouf**.

PIG, HOG

happy hour *loc., fam., angl.*

Pronounced "apiauer". The 'h' is silent in French. Can also be said, "un happy hour", pronounced "anapiauer".

HAPPY HOUR

hasch *n. m., fam., abrév.*

(haschisch)

Pronounced "ash".

HASHISH, RESIN, HASH

hosto *n. m., fam., abrév.*

(hôpital)

HOSPITAL

ièch, ièche *v., verlan*
(chier)
TO SHIT

illico presto *adv., fam., lat.*
IMMEDIATELY, PRONTO, PRESTO

imbitable *adj., vulg.*
GOBBLEDEGOOK

*—Son explication était **imbitable,** personne a rien pigé. • His explanation was gobbledegook, nobody understood anything.*

impec *adj., fam., abrév.*
(for "impeccable")
IMPECCABLE, PERFECT

s'incruster *v. prnl.*
se taper l'incruste *loc.*
TO GATECRASH,
TO TAKE ROOT

*—Je leur avais dit de pas venir mais ils **se sont tapé l'incruste.** • I told them not to come but they gatecrashed anyway.*

insse *n. m., verlan*
(sein)
BREASTS, BOOBS, HOOTERS

intello *n. m., adj., abrév.*
(intellectuel)
INTELLECTUAL, BRAINIAC

intox (de l') *n. f., abrév.*
(intoxication)
BULLSHIT, PROPAGANDA

*—Qui t'a dit que le coût de la vie baisse ? C'est **de l'intox !** • Who said the cost of living is going down? It's bullshit!*

jarter *v., arg.*

BEAT IT, TO GET LOST, TO GET AWAY

—Vas-y, ***jarte*** *de là, c'est ma place ! • Come on, beat it, you're on my seat!*

jambon-beurre *n. m., péj.*

Literally a ham and butter sandwich, a very common, typical sandwich in France. But also refers to someone who is fully French, with no foreign origins, someone who is franco-French.

—Dès qu'une musulmane se marie avec un ***jambon-beurre,*** *la police pense que c'est un mariage blanc. • As soon as a Muslim marries a franco-French person, people assume it's a green card marriage.*

jeton *n. m.*

1 avoir les jetons *loc., fam.*

TO BE AFRAID, TO BE SCARED SHITLESS

2 foutre les jetons *loc., fam.*

TO BE SCARY

—T'as entendu parler du dernier film de Lars von Trier ? Il a l'air de vraiment ***foutre les jetons.*** *• Did you hear about Lars von Trier's latest film? It sounds really scary.*

jeura *n., verlan*

(rage)

avoir la jeura *loc.*

TO BE PISSED OF

—Quand Kader a appris que sa meuf s'était barrée avec son meilleur pote, il ***avait*** *trop* ***la jeura.*** *• When Kader found out that his girlfriend left him for his best friend, he was pissed of.*

job *n. m., fam., angl.*

JOB, WORK

—C'est clair que tu vas perdre ton ***job.*** *• It's obvious you're going to lose your job.*

joint *n. m., fam.*

JOINT, SPLIFF, PINNER

—Mes parents aiment pas que je fume des ***joints.*** *• My parents don't like me smoking joints.*

THERE ARE VARIOUS SYNONYMS FOR "JOINT" IN FRENCH:
UN JOINT, UN OINJ, UN PET, UN PÉTARD, UN TARPÉ, UN STICK, UN KEUSTI...

jouer (se la) *loc., fam.*

TO SHOW OFF, TO PRETEND
TO BE SOMEONE YOU'RE NOT

*—Il s'achète des fringues de marque pour **se la jouer** devant les nanas.* • *He buys designer clothes to show off in front of women.*

jtd *SMS et mails, abrév.*

(je t'adore)

I ADORE U

jtm *SMS et mails, abrév.*

(je t'aime)

LUV U

jules *n. m., fam.*

SQUEEZE, BOYFRIEND

*—Demain elle va présenter son **jules** à ses parents, elle a les pétoches.* • *Tomorrow she's going to introduce her new squeeze to her parents. She's really nervous.*

Originally, the term served to designate a pimp. Over time, this use has faded and now it refers exclusively to lover, husband, boyfriend.

junkie *n., fam., angl.*

JUNKIE, DRUG ADDICT

jus *n. m., fam.*

1 JAVA, COFFEE

*—Avant de commencer à bosser, tu veux un **jus** ?* • *You want a cup of java before we start working?*

2 JUICE, CURRENT (ELECTRIC)

*—Ah merde, y a plus de **jus**, le compteur a disjoncté !* • *Shit! There's no more juice, the fuse has blown!*

3 FUEL (combustible)

*—Faut que je passe à la station service remettre du **jus** dans la caisse.* • *I have to go by the gas station and put some fuel in the car.*

4 mettre au jus *loc., fam.*

TO LET SOMEONE KNOW,
TO KEEP POSTED

*—**Mets-moi au jus** quand tu auras mis tes photos en ligne.* • *Let me know when you have uploaded your pictures.*

kawa *n. m., fam., ar.*
COFFEE

kebla *n. m., fam., verlan*
(black)
Also **keubla**.
BLACK PERSON

kéblo *adj., verlan*
(bloqué/e)
TO BE STUCK

kéké *n. m., fam.*
SOMEONE WHO IS A COCKY SHOW-OFF, PRETENTIOUS

*—Regarde-moi ce **kéké** dans sa panoplie à la mode, il est ridicule ! • Look at this cocky guy showing off his clothes!*

kèn, kène *v., vulg., verlan*
(niquer)
TO FUCK

keuf *n. m., abrév.*
(keufli, *verlan de* **flic)**
POLICE, COPS, PIGS, FUZZ

keumé, keum *n. m., verlan*
(mec)
MAN, DUDE, BUDDY, GUY, CHAP

keupon *n. m., verlan*
(punk)
PUNK

kif *n. m., arg., ar.*
1 HASHISH, MARIJUANA

2 PASSION, PLEASURE, FUN

*—La moto, c'est son **kif** à Patou. • Motorcycles are Patou's passion.*

3 kif-kif, kifkif *adj., fam., ar.*
ALL THE SAME TO ME

4 kiffer qqn qqch *v., arg., défor., ar.*
a TO BE INTO

*—Je le **kiffe** trop ce mec, il est trop cool. • I'm so into this guy. He is so cool.*

b TO LIKE

*—J'te **kiffe**. • I like you.*

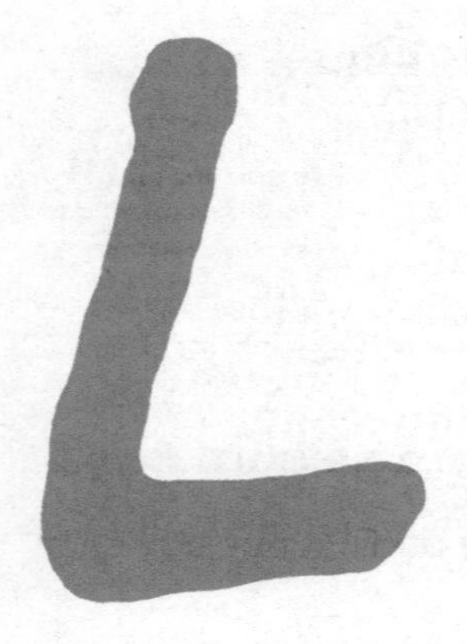

lapin (poser un) *loc., fam.*

TO STAND SOMEONE UP

larguer qqn *v., fam.*

TO DUMP SOMEONE

*—Au bout de trois mois de relation, il **l'a larguée** sans explication.* • *He dumped her after three months.*

lèche-bottes *n., fam.*

BOOT-LICKER

lèche-cul *n., vulg.*

ASS-LICKER, BROWN-NOSER

lège *adj., fam., abrév.* (léger)

LIGHTWEIGHT, SUPERFICIAL

*—Tes arguments sont un peu **lège**, tu vas jamais convaincre le jury.* • *Your arguments are a little light-weight, you'll never convince a jury.*

live (partir en) *loc., angl.*

1 TO GO OFF, TO JUMP AT THE GUN

*—Quand ils ont abordé le sujet, y avait déjà tellement de tension, que la réunion **est partie en live**.* • *When they broached the subject, there was already so much tension, that they all went off on each other.*

2 TO LOSE CONTROL

*—Elle s'est sentie attaquée par sa famille, alors elle **est partie en live** et elle a engueulé tout le monde.* • *She felt like she was being attacked by her family so she lost control and yelled at everyone.*

louper qqch *v., fam.*

1 TO MISS OUT

2 TO FLUNK (a test)

*—John **a loupé** son examen. Il est furax.* • *John flunked a test. He's pissed of.*

3 TO MISS (a plane, a train…)

*—Ils **ont loupé** leur train ; finalement, ils resteront ici pour le week-end.* • *They missed their train. They're going to stay here for the weekend.*

lourder *v., arg.*

TO SHOW THE DOOR, TO KICK OUT, TO DISMISS, TO DUMP

se magner *v. prnl.*

TO STEP ON IT, TO HURRY UP

*—**Magne-toi,** on est à la bourre !* • *Step on it, we're running late!*

manche *adj., n. m., fam.*

1 CLUMSY, AWKWARD

2 avoir le manche *loc., vulg.*

TO HAVE A HARD-ON / BONER

3 faire la manche *loc., fam.*

TO BEG

*—Serge **fait la manche** dans le métro. Il vit de ça.* • *Serge begs in the subway. That's how he makes a living.*

4 s'y prendre comme un manche *loc., fam.*

TO GO ABOUT THINGS IN A COCKEYED, HAM-FISTED WAY

maquer *v., fam.*

TO GO STEADY, TO BE TOGETHER

*—Xavier et Adèle **sont maqués** depuis deux ans, mais ils veulent pas se marier.* • *Xavier and Adèle have been going steady for two years but they don't want to get married.*

maquereau *n. m., fam.*

Also **mac, maque, macque, mach**.

PIMP, MACK

se marrer *v., fam.*

TO LAUGH, TO HAVE FUN, TO BE IN STITCHES

masse

1 être à la masse *loc., fam.*

TO BE OUT OF IT, SPACED OUT

2 pas des masses *loc., fam.*

NOT A LOT

*—Cette année il a presque pas plu. Des champignons, y'en a **pas des masses**.* • *There was very little rain this year and therefore not a lot of mushrooms.*

mater *v., arg.*

1 TO CHECK OUT

2 TO LOOK

max (un) *loc., abrév.*
(maximum)
MAXIMUM, MAX, A LOT

mdr *SMS et mails, abrév.*
(mort de rire)
LOL

mec *n. m., fam.*
MAN, DUDE, GUY

mecton *n. m., fam.*
TWERP, JERK, MATIE, CHAPPIE

médoc *n. m., défor.*
(médicament)
MEDICINE, MEDS

merder *v., fam.*
1 TO FAIL (a test)

2 TO SCREW UP, TO RUIN

3 TO MALFUNCTION

4 merdeux/euse *vulg.*
a *adj.* TO FEEL LIKE SHIT, TO FEEL GUILTY
—Après avoir envoyé chier sa mère, il pensait qu'il aurait pas dû le faire, il se sentait vraiment ***merdeux.*** • *After telling his mom off, he regretted it. He really felt like shit.*

b *n.* LITTLE SQUIRT, LITTLE SHIT (child)

5 merdier *n. m., vulg.*
BLOODY MESS, FIX, PIGSTY

6 merdique *adj., fam.*
SHITTY, BAD, WORTHLESS
—Ils veulent me faire signer un contrat ***merdique*** *: y a ni les horaires, ni la rémunération.* • *They want to make me sign a shitty contract: no mention of hours or salary.*

merdouiller *v., fam.*
Also **merdoyer**.
TO SCREW-UP / FUCK-UP, TO FLOUNDER, TO GET CONFUSED
—J'ai ***merdouillé,*** *j'étais incapable d'expliquer ma situation à la psy.* • *I screwed up. I was incapable of explaining my situation to my shrink.*

mère (ta) *loc., abrév.*
(nique ta mère, NTM)
YO MAMA,
DIRTY SON-OF-A-BITCH!

meuf *n. f., verlan*
(femme)
WOMAN, CHICK, BIRD

mollard *n. m., vulg.*
GOOBER, PHLEGM, SPIT

mollo *adv., fam., transfor.*

(mollement)

EASY, GENTLY, CAUTIOUSLY

—*Vas-y **mollo** avec l'embrayage, elle est neuve, ma bagnole.* • *Take it easy on the clutch, it's a new car.*

môme *n. m., fam.*

KID, SQUIRT, CHILD, BRAT

morbac *n. m., défor.*

(morpion)

LICE, CRABS

morfler *v., arg. fam.*

TO TAKE THE BLAME,
TO SUFFER, TO GET HURT

—*Titi a lancé une pierre au prof mais c'est Pedro qui a **morflé** à sa place.* • *Titi threw the rock at the teacher but it was Pedro who took the blame.*

mort (c'est) *loc., fam.*

NOT GOING TO HAPPEN,
OVER

—*Ça fait deux heures qu'on attend, j'crois que **c'est mort,** il viendra plus.* • *We've been waiting for two hours, I have a feeling that it isn't going to happen, he isn't going to come.*

mortel/elle *adj., fam.*

AWESOME, KILLER, TO DIE FOR,
DEADLY

mouise *n. f., fam.*

IN A PINCH, IN THE POOR-
HOUSE, IN A HARD PLACE,
POVERTY, MISERY

—*Quelle **mouise** ! Ma mère peut pas non plus me prêter d'argent.* • *What a pinch! My mother cannot lend me any money either.*

moule *n. f., vulg.*

1 CUNT, PUSSY, VAGINA, TWAT

2 avoir de la moule *loc., vulg.*

TO BE JAMMY

—*Vous **avez de la moule** ! Personne a vu que vous trichiez, pourtant c'était pas discret.* • *You're jammy! Nobody noticed you were cheating even though it was obvious.*

murge *n. f.*

1 BOOZE-UP, DRINKING SPREE

2 se murger *v., arg.*

TO GET PLASTERED / PISSED /
SMASHED

mytho *n. m., abrév.*

(mythomane)

COMPULSIVE / PATHOLOGICAL
LIAR

—*T'es complètement **mytho,** me raconte pas de salades, t'as jamais rencontré aucun chanteur américain.* • *You're a compulsive liar, stop talking nonsense, you've never met an American singer.*

nana *n. f., fam.*

1 WOMAN, BIRD, CHICK

2 GIRLFIREND, LOVER

nase *n. m., adj., fam.*

Also **nasebroque, naze, nazebroque**.

1 NOT WORKING PROPERLY, FUCKED UP, BROKEN

*—Il est **naze** ton appareil, il fait des photos floues. • Your camera's not working properly. All of the pictures are out of focus.*

2 EXHAUSTED, TIRED, WHOOPED, KNACKERED

*—J'suis **nase**, j'ai pas fermé l'œil de la nuit. • I'm exhausted. I didn't sleep a wink all night.*

néné *n. m.*

BOOB, BREAST, HOOTER

*—Elle rembourre toujours ses soutifs parce qu'elle a pas de **nénés**. • She always stuffs her bras because she has really small boobs.*

nibard *n. m., fam.*

BOOB, BREAST, HOOTER

Also **nichon**.

There is a plethora of words which refer to breasts in French : la gougoutte, le lolo, le néné, le nib, le nibard, le nichon, le tété, le robert, le roploplo…

nickel *adj., fam.*

THE BUSINESS, IMPECCABLE

*—Merci d'avoir préparé la déco, tout était **nickel**. • Thanks for getting all decorations together. It looked the business!*

niquer *v., vulg., ar.*

Can also be used as an insult.

1 TO FUCK, TO SCREW, TO BANG

2 TO RIP OFF, TO SWINDLE, TO CON

3 TO RUIN, TO DESTROY

4 nique ta mère, nique ta race *loc., vulg.*

MOTHER FUCKER, FUCK YOU, GO AND FUCK YOURSELF

oim *pron., verlan*

(moi)

Also **ouam, wam.**

ME, MINE

—*Touche pas à ça, c'est pour* ***ouam.*** • *Don't touch, it's for me.*

oinj *n. m., verlan*

(joint)

The 'j' at the end is to be pronounced.

JOINT, SPLIFF

—*J'ai jamais fumé de* ***oinjs.*** *J'aime pas rigoler comme un con.* • *I've never smoked joints. I don't like sitting around laughing like an idiot.*

on y go *loc., fam.*

LET'S GO, LET'S SPLIT

—*On va être en retard pour la séance de ciné,* ***on y go*** *?* • *We're going to be late for the movie, let's go.*

THE SUFFIX-OS

In familiar and playful French linguo, a number of words and adjectives are deformed with an –os at the end. The final 's' is pronounced: ***portos*** *(portugais),* ***musicos*** *(musicien),* ***gravos*** *(grave),* ***débilos*** *(débile),* ***rapidos*** *(rapide),* ***cassos*** *(se casser),* ***chiantos*** *(chiant),* ***matos*** *(matériel),* ***chicos*** *(chic)*…

os (l'avoir dans l')

loc., vulg.

TO BE CONNED, TO BE HAD, TO BE IN BOTHER

oseille *n. f., arg.*

BREAD [MONEY], DOSH

ouais *adv., fam., défor.*

(oui)

Is pronounced "weh".

YES, YUP, YEAH!

ouest (être à l') *loc., fam.*

TO BE OUT OF IT

—*Il* ***est*** *vraiment* ***à l'ouest,*** *il savait pas que George Bush n'était plus le président des États-Unis.* • *He's really out of it, he didn't know that George Bush is no longer president of the United States.*

ouf *n. m., adj., verlan*

(fou)

CRAZY, NUTS

palot *n. m.*

se rouler un palot *loc., fam.*

TO FRENCH KISS

—*Petit, il lisait des magazines d'adolescentes pour apprendre à* ***rouler des palots.*** • *When he was little, he would read teen magazines in order to learn how to French kiss.*

parigot/e *n., adj., fam.*

A NATIVE OF PARIS, PARISIAN

Nickname that used to be considered somewhat negative. Today it is regarded as being a bit old-fashioned even though it is known to everyone.

tu parles *loc., fam.*

Only used with 'tu' and in the present tense.

OH PLEASE!, GIVE ME A BREAK

—***Tu parles*** *! Il aura jamais les couilles d'appeler chez tes parents.* • *Oh please! He'll never have the nerve to call your parents.*

patate *n. f., fam.*

1 BLOW, PUNCH, WALLOP

2 avoir la patate *loc., fam.*

TO BE IN GREAT FORM,
TO HAVE A LOT OF ENERGY,
TO BE FULL OF BEANS

—*Depuis les vacances,* ***j'ai la patate.*** • *I've been in great form ever since vacation.*

3 en avoir gros sur la patate *loc., fam.*

TO FEEL RESENTFUL,
TO BE UPSET

paumer *v., fam.*

1 TO LOSE

2 paumé/e *adj., fam.*

TO BE LOST

—*Quand j'suis arrivé à Mexico, j'étais complètement* ***paumé,*** *j'arrivais pas à m'orienter.* • *When I got to Mexico, I was completely lost, I had no sense of direction.*

paye (ça fait une)

loc., fam.

AGES (IT HAS BEEN), LONG TIME NO SEE

peau *n.f.*

1 avoir la peau de qqn, faire sa peau à qqn *loc., fam.*

TO TAKE SOMEONE DOWN, TO TAKE SOMEONE OUT

*—Si Paulo continue à m'asticoter, je vais **lui faire la peau**.* • *If Paulo keeps provoking me, I'm going to take him down.*

2 avoir qqn dans la peau *loc.*

TO BE INFATUATED WITH SOMEONE, TO BE CRAZY ABOUT SOMEONE

pêche (avoir la) *loc., fam.*

TO BE IN GREAT FORM, TO HAVE A LOT OF ENERGY, TO BE FULL OF ENERGY

pécho, peucho *v., verlan* (choper)

1 TO CATCH

*—Il dit qu'il a **pécho** un herpès à la piscine, comme si ça pouvait s'attraper comme ça.* • *He says he caught herpes at the swimming pool, as if you could just catch it like that.*

2 TO NICK, TO LIFT, TO STEAL

*—Il a **pécho** une bouteille de champagne et il s'est fait piger à la caisse.* • *He nicked a bottle of champagne and got caught at the check out.*

3 TO MAKE OUT WITH, TO FOOL AROUND

*—Alors, tu l'as **pécho** la meuf ?* • *So, did you make out with that chick?*

pelle *n.f.*

se rouler une pelle *loc.*

TO FRENCH KISS

Also, **se rouler une galoche**.

people *n., adj., angl.*

Also **pipole**.

STARS, FAMOUS PEOPLE

*—Beaucoup d'artistes critiquent la presse **people,** mais ils l'utilisent quand ça les intéresse.* • *A lot of artists criticise magazines like People and Closer but end up by using them for their own benefit.*

The expression "presse people" in French came about at the end of the nineties to replace the former term "presse à scandales", which carried a more negative connotation.

péquenaud/e *n. m., adj., fam., péj.*

HICK, COUNTRY BUMPKIN

*—Mate le **péquenaud** en train de promener sa chèvre avec une laisse.* • *Check out the hick walking his goat around on a leash.*

percuter *v., fam.*

TO CATCH ON, TO UNDERSTAND

*—Quand il a dit qu'il déménageait, j'ai pas **percuté** : en fait, il quitte sa femme.* • *When he said he was mo-*

ving, I didn't catch on: actually, he is leaving his wife.

perpète (à) *loc. adv., fam.*

1 REALLY FAR AWAY, THE STICKS, BUMBLE FUCK, MILES AWAY

2 FOREVER, A VERY LONG TIME

—Si la police l'arrête, il en prendra pour ***perpète.*** • *If the police catch him, he'll be in the slammer forever.*

pétard *n. m., fam.*

1 JOINT, SPLIFF

2 GUN, PISTOL

pétasse *n. f., fam., vulg.*

HO, SLUT, TART

—Sors pas avec ce décolleté, les mecs vont te prendre pour une ***pétasse.*** • *Don't go out wearing that top, guys'll think you're a ho.*

péter *v., fam.*

1 TO EXPLODE (*lit. et fig.*), TO BLOW UP

—Si les tensions avec la police continuent, ça va ***péter.*** • *If tensions with the police continue, things are going to explode.*

2 être pété/e de fric, être pété/e de thunes *loc., fam.*

TO BE LOADED (WITH MONEY)

—Ce mec il a pas besoin de bosser, il ***est pété de fric.*** • *He doesn't need to work, he's loaded.*

3 péter un câble, péter les plombs *loc., fam.*

TO LOSE IT

—Il a dit au juge qu'il avait tué sa femme parce qu'il avait ***pété un câble.*** • *He told the judge he killed his wife because he'd completely lost it.*

4 se la péter *loc., fam.*

TO SHOW OFF, TO THINK YOU'RE THE SHIT

—T'as vu comment il ***se la pète*** *celui-là avec son yacht ?* • *See how he's showing off with his new yacht?*

5 se péter la gueule *loc., vulg.*

a TO FALL ON ONE'S FACE

b TO GET SMASHED / HAMMERED

pétoche/s (avoir la/les) *loc., fam.*

TO BE AFRAID, TO SHIT ONESELF, CREEPS

piaule *n. f., fam.*

(BED-)ROOM

pied (prendre son) *loc., fam.*

TO GET OFF, TO ENJOY, TO GET A KICK OUT OF

—J'ai ***pris mon pied*** *en conduisant cette caisse, elle est géniale !* • *I really got off on driving that car, it's awesome!*

pieu *n. m., fam.*

1 SACK

*—Il est resté au **pieu** toute la journée.* • *He stayed in the sack all day.*

2 se pieuter *v., fam.*

TO GO TO BED, TO CRASH

pifer *v., fam.*

Also **piffer, piffrer**.

Always used in the negative sense.

STAND, ABIDE

*—Il est trop antipathique, je peux pas le **pifer**.* • *He is too unpleasant, I can't stand him.*

piger *v., fam.*

TO UNDERSTAND

pinard *n. m., fam.*

WINE (AVERAGE OF NOT GREAT QUALITY), PLONK

pioncer *v., fam.*

SNOOZE, SLEEP

*—Le dimanche c'est mon seul jour de repos, je **pionce** jusqu'à midi.* • *Sunday is my only day off, I snooze until noon.*

pipe *n. f., vulg.*

1 BLOW JOB

2 tailler des pipes, faire une pipe *loc., vulg.*

TO GIVE A BLOW JOB

*—Elle veut arriver vierge au mariage mais ça l'empêche pas de **tailler des pipes**.* • *She wants to remain a virgin until her wedding but that doesn't keep her from giving blow jobs.*

piquer *v., fam.*

1 TO NICK, TO LIFT

*—Arrête de **piquer** de la bouffe, tu vas te faire choper.* • *Quit nicking food, you're going to get caught.*

2 TO NAIL, TO CATCH

*—Les flics l'**ont piqué** quand il allait fuir du pays.* • *The cops nailed him as he was trying to flee the country.*

3 TO SHOOT UP

*—Elle est diabétique, elle doit se **piquer** deux fois par jour.* • *She is diabetic, she has to shoot up twice a day.*

piquouse *n. f., fam.*

INJECTION, SHOT

pisser *v., fam.*

1 TO TAKE A PISS, TO TAKE A LEAK

2 laisser pisser *loc., fam.*

TO LET IT GO

*—Sonia est fâchée ? **Laisse pisser**, elle se calmera.* • *Sonia's upset, let it go, she'll come around.*

3 ne pas/plus se sentir pisser *loc., fam.*

TO THINK ONE'S SHIT DOESN'T STINK, TO BE SELF-IMPORTANT

*—Depuis que son père est le maire, il **se sent plus pisser**. • Ever since his dad became mayor, he thinks his shit doesn't stink.*

4 pisser à la raie de qqn, pisser sur qqn *loc., vulg.*

TO PISS OR SHIT ON SOMEONE

5 pisser dans un violon *loc., vulg.*

A WASTE OF TIME, TO DO SOMETHING USELESS, TO PISS IN THE WIND

*—Tu peux lui répéter de ranger sa chambre, c'est comme si tu **pissais dans un violon,** elle le fera pas. • You can keep telling her to clean her room, you're wasting your time, she'll never do it.*

planque *n. f., fam.*

1 HIDE-OUT, HIDING PLACE

2 planquer *v., fam.*

TO STAKE OUT, TO HIDE-OUT, TO BE IN HIDING

*—Les flics ont **planqué** trois jours pour rien. Les voleurs étaient déjà partis. • The police did a stake out for three days for no reason. The robbers were already gone.*

3 (se) planquer *v., v. prnl., fam.*

TO STASH, TO HIDE, TO PLANT

*—Tu l'**as planquée** où, la télécommande ? Derrière le canapé ? • Where did you stash the remote, behind the sofa?*

planter *v., fam.*

TO DUMP

*—Elle l'a **planté** le jour de leur mariage. • She dumped him the day of the wedding.*

plaquer *v., fam.*

TO CHUCK, TO ABANDON

*—Il **a** tout **plaqué** pour sa maîtresse : sa famille, son boulot et sa maison. • He chucked everything for his mistress: his family, his job, his house.*

plombe *n. f., arg.*

HOUR

*—Qu'est-ce que tu fous ? Y a deux **plombes** que je t'attends. • What the hell have you been doing? I've been waiting for two solid hours.*

plumard *n. m., fam.*

BED, SACK, HAY

*—Je dors bien que dans mon **plumard.** • I can only sleep well in my bed.*

pochetron/ne *n., adj., arg.*

ALKY, DRUNKARD

pognon *n. m., fam.*
MONEY, DOUGH, GREEN, DINERO (USA)

poil *n. m.*
1 Poil au + a part of the body

A silly and playful word game in which someone finds the name of a body part that rhymes with the end of the preceding sentence (adding a "poil au" beforehand). "Poil au nez" (*fam.*) and "poil au cul" (*vulg.*) are the most used.

—Examples:
A : Merci de vous être déplacés. // B : Poil au nez. // A : Je vous souhaite la bienvenue. // B : Poil au cul. // A : On va commencer la réunion. // B : Poil au nichon.

2 poil (à) *loc.*
BUCK NAKED

se poiler *v.*
TO LAUGH A LOT, TO HAVE FUN

poireau *n. m.*
1 se dégorger le poireau *loc., vulg.*
TO RELIEVE ONESELF, TO EJACULATE

2 faire le poireau *loc., fam.*
TO WAIT AROUND, TO HANG AROUND, TO WAIT IN VAIN

—J'en ai marre de ***faire le poireau.*** *Je me casse.* • *I'm sick of just waiting around. I'm outta here.*

3 poireauter *v., fam.*
TO HANG AROUND, WAIT AROUND

poiscaille *n. m., fam.*
FISH

poivrot/e *n. fam.*
DRUNKARD, ALKY, BOOZER

pommes (tomber dans les) *loc., fam.*
TO PASS OUT, TO FAINT

—Il était en hypoglycémie, il est ***tombé dans les pommes.*** • *He was hypoglycemic and passed out.*

pompe *n. f., fam.*
1 SHOE

—Fais voir tes ***pompes,*** *elles sont super fashion.* • *Let's see your shoes, they're the latest fashion.*

2 avoir un coup de pompe *loc., fam.*
TO FEEL TIRED, TO HAVE A SINKING FEELING

3 être à côté de ses pompes *loc., fam.*
TO BE OUT OF IT, TO BE MAD

poudre *n. f., fam.*

POWDER, BLOW, NOSE CANDY, SUGAR

poufe *n. f., vulg.*

Also **pouffe, pouffiasse.**

1 HO, SLUT

2 A RIDICULOUS OR VULGAR FEMALE

pouilleder *v., verlan*
(dépouiller)

1 TO MUG

2 pouilledé/e *adj., verlan* **(dépouillé/e)**

a MUGGED (victim of a mugging)

b STONED, HIGH

poulet *n. m., fam.*

PIGS

*—Y'a des **poulets** partout dans mon quartier. On a l'impression d'être tous des délinquants. • There are pigs all over my neighbourhood. You'd think we were all delinquents.*

pourrave *adj., arg., défor.*
(pourri)

ROTTEN, SHITTY, BAD QUALITY

*—Il est **pourrave** ton pull. Tu l'as trouvé dans une poubelle ? • You're sweater's completely rotten, did you find it in a dumpster?*

pourri/e *adj., fam.*

1 CORRUPT

2 SPOILED, ROTTEN

3 SHITTY, FUCKED UP (regarding situations and objects, not people)

ptdr *SMS et mails, abrév.*
(pété de rire)

TO DIE LAUGHING, LMFAO (laughing my fucking ass off), ROFL-MAO (rolling on floor laughing my ass off)

putain

1 *n. f., vulg.* WHORE, SLUT, BITCH

*—Elle s'habille comme une **putain**. Ses parents arrêtent pas de l'engueuler. • She dresses like a whore. Her parents keep yelling at her.*

2 *interj. fam.* SON OF A BITCH!, FUCK!, FUCKING HELL!

*—**Putain** ! J'y crois pas ! Qu'est-ce que tu fais là ? • Son of a bitch! I can't believe it. What are you doing here?*

pute *n. f., vulg.*

1 SLUT, WHORE, BITCH

2 langue de pute *loc., vulg.*

SPITEFUL TONGUE

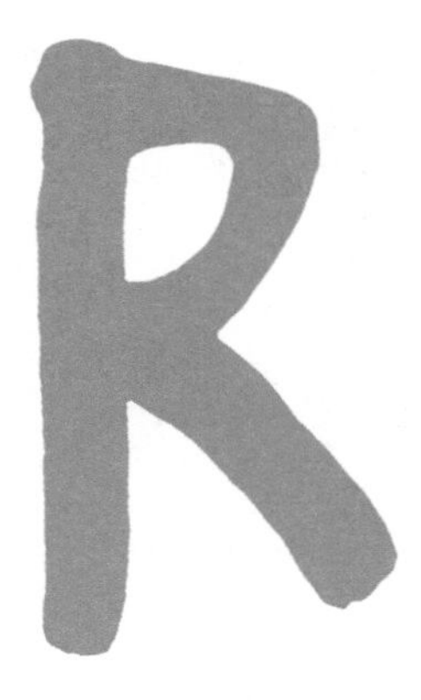

racaille *n. f., fam.*

PUNK, SCUM

—*Vous en avez assez de cette bande de* ***racailles*** *? Eh ben, on va vous en débarrasser.* • *Are you sick and tired of these punks? Well, we'll get rid of them for you.*

Famous phrase pronounced by Nicolas Sarkozy when he was minister of the Interior and visiting public housing projects in the suburbs of Paris.

race (ma/ta/sa/...) *loc., vulg.*

Used to add emphasis to an expression. Can be translated in a number of different ways, both positive and negative in connotation. Often used with the verbs 'niquer' or 'défoncer' (fuck, screw).

—*Manu est furax. Franck a pris sa mob pour aller à Paris. Il va lui défoncer* ***sa race*** *!* • *Manu is furious. Franck took his bike into town. He's gonna fuck him up!*

—*Cette nouvelle version, elle déchire* ***sa race.*** • *This new version fucking rocks.*

—*Quand j'étais petit, je flippais* ***ma race*** *en matant des films d'horreur.* • *When I was little, I used to fucking freak out when I watched horror films.*

se radiner *v., fam.*

TO BLOW IN, TO SHOW UP, TO ARRIVE QUICKLY

—*Encore ces cons qui* ***se radinent,*** *cassons-nous !* • *Those assholes have just blown in, let's get out of here!*

rage (avoir la) *loc., fam.*

TO BE FURIOUS, TO BE ENRAGED

ragnagnas *n. pl., fam.*

PERIOD, TIME OF THE MONTH, ON THE RAG, TO HAVE THE DECORATORS IN

Adolescents use this expression a lot in reference to one's period. Others include: **les ragnagnas, les ragnoutes, les Anglais ont débarqué** (the redcoats).

Le débarquement, les russes, les cocos (*dim.* of "communists", the colour red).

Les trucs, les machins.

raide *adj., fam.*

1 TO BE BROKE

*—Je suis désolé, je ne peux rien te prêter, je suis **raide**.* • *Sorry, I can't lend you anything. I'm totally broke.*

2 FUCKED UP, SMASHED, PLASTERED, HAMMERED

*—À la fin de la soirée elle était tellement **raide** qu'elle a dû laisser sa voiture et rentrer en taxi.* • *She was so fucked up at the end of the night that she had to leave her car there and take a taxi home.*

se ramasser *v., fam.*

1 TO CRASH, TO HAVE AN ACCIDENT

*—Depuis qu'il **s'est ramassé** en bécane, il prend le bus.* • *Ever since he crashed his motorcycle, he's had to take the bus.*

2 TO BOMB, TO FAIL

*—Il **s'est** encore **ramassé** à l'examen d'anglais, c'est son troisième zéro.* • *He bombed the English test again. It's his third 'F'.*

ramer *v., fam.*

TO STRUGGLE, TO MAKE AN EFFORT, TO WORK HARD

*—Il **a** beaucoup **ramé** pour monter sa propre entreprise, heureusement il est tenace et travailleur.* • *He has struggled so much to build up his company. Luckily, he's tenacious and hard-working.*

rancard *n. m., fam., abrév.* (rendez-vous)

1 APPOINTMENT, HOOK-UP, RENDEZ-VOUS, DATE

*—J'ai **rancard** chez le dentiste à cinq heures.* • *I have an appointment at the dentist at five o'clock.*

2 rancarder, rencarder *v., fam.*

TO INFORM

*—Je crois qu'on t'**a** mal **rancardé**, c'est pas ici que tu dois demander ta bourse.* • *I think you were misinformed. This isn't the right office for scholarship applications.*

rapiat/atte *n., adj., fam.*

CHEAP, STINGY

raquer *v., fam.*

PAY UP, COUGH UP, FORK OUT

rebeu/euse *n., adj., verlan* (beur, *verlan de* arabe)

Also **reubeu/euse, robeu/euse**.

1 SECOND-GENERATION NORTH AFRICAN BORN IN FRANCE

*—Les renois et les **rebeus** ont souvent des postes précaires.* • *Blacks and French Arabs often have unstable employment.*

2 NEIGHBOURHOOD DELI

Reubeu is often associated with late-night delis since most of them are North African in France.

*—Le **reubeu** du coin, c'est le seul*

magasin que tu trouveras ouvert le dimanche. • *The neighbourhood deli is the only store you will find open on Sundays.*

récup *n. f., abrév.*

(récupération)

SOMETHING SALVAGED, RECOVERED

—Il est pas neuf, mon canapé, c'est de la ***récup****. Je l'ai trouvé dans la rue.* • *My sofa isn't new, it was salvaged off the street.*

refourguer *v., fam.*

TO RESELL STOLEN / DAMAGED MERCHANDISE

—Les commerçants sans scrupules ***refourguent*** *au Tiers-Monde les produits pourris qui sont pas acceptés ici.* • *Unscrupulous retailers often resell stolen or damaged merchandise to Third World countries.*

relou *adj., n., verlan*

(lourd)

CAN'T TAKE A HINT, HEAVY-HANDED

—Il est ***relou,*** *ton copain, il a passé la soirée à essayer de me draguer.* • *Your friend really can't take a hint. He was hitting on me all night.*

rep *n. m., verlan*

(père)

Also **rèp** or **reup**. In plural form is used to designate one's parents.

FOLKS, OLD MAN, POPS, FATHER

—Mes ***reps,*** *ils vont me tuer quand ils sauront que ma meuf est en cloque.* • *My folks are gonna kill me when they find out my girlfriend is pregnant.*

se rétamer *v., fam.*

TO GET DRUNK / SMASHED, TO FALL ON ONE'S FACE

réu *n. f., abrév.*

(réunion)

MEETING

—Si on veut avancer, on devrait faire une ***réu*** *toutes les semaines.* • *If we hope to move forward, we will need to have a meeting every week.*

reuch, reuche *adj., verlan*

(cher)

STEEP, COSTLY, EXPENSIVE

—Il est trop ***reuch,*** *le bouquin, je vais pas l'acheter.* • *The price of the book is too steep, I'm not going to buy it.*

ripou *n. m., adj., verlan*

(pourri)

1 CORRUPT COP

2 CORRUPT PERSON

3 SOMETHING THAT IS FUCKED UP (a situation)

ÇA SCHLINGUE ICI ! Y'A UN RAT MORT OU QUOI ? • MAN, IT STINKS IN HER! IS THERE A DEAD RAT OR WHAT?

IL FAIT STYLE LE MEC IMPORTANT, MAIS PERSONNE NE LE CALCULE • HE ACTS AS IF HE WAS SOMEBODY IMPORTANT BUT NO ONE PAYS ANY ATTENTION.

salaud *adj., vulg.*

1 ASSHOLE, NASTY, BASTARD

*—Quel **salaud** ! Quand Elie a su que sa maîtresse était enceinte, il est reparti vivre avec sa femme.* • *What an asshole! When Eli found out that his mistress was pregnant, he went back to live with his wife.*

2 c'est salaud *loc.*

THAT'S FUCKED UP

salope *n. f., vulg.*

1 BITCH, COW

*—Quelle **salope** ! Elle a dit à la prof que j'avais copié une ancienne rédac de ma grande sœur.* • *What a bitch! She told the teacher hat I had copied an old essay from my older sister.*

2 saloper *v., fam.*

TO MUCK UP, TO MAKE A MESS

*—Enlève tes baskets, tu **vas saloper** l'entrée.* • *Take off your gym shoes, you're going to muck up the hallway.*

3 saloperie *n. f., vulg.*

a TRASH(Y), SCUM

*—Il dit que des **saloperies**, c'est un gros vicieux.* • *He's always talking trashy, he's a big pervert.*

b JUNK, RUBBISH

*—Oui, c'est un magasin pas cher, mais ils vendent que des **saloperies**.* • *Yes, the store is cheap but it's full of junk.*

saquer *v., fam.*

Also **sacquer**.

1 TO THROW OUT, TO THROW AWAY

2 TO FAIL

3 TO STAND

Always used in the negative form, "ne pas saquer".

saper *v., fam.*

TO GET DOLLED UP, TO DRESS

*—Nacira adore se **saper** super classe. Même en vacances elle est impec.* • *Nacira loves to get dolled up in classy clothes. She looks perfect even on vacation.*

schlinguer *v., fam.*

TO STINK, TO SMELL BAD/ AWFUL, TO REEK

*—Ça **schlingue** ici ! Y'a un rat mort ou quoi ? • Man, it stinks in here! Is there a dead rat or what?*

scotché/e (être) *loc., fam.*

Also **rester scotché/e.**

TO BE GLUED

sèche *n. f., arg.*

FAG, CIGARETTE, SQUARE

*—T'as une **sèche** ? • Got a fag?*

sécher *v., fam.*

1 TO GO BLANK, TO DRY UP

*—Quand il est arrivé à la troisième question de l'examen, il a **séché**, il savait plus quoi écrire. • When he got to the third question of the exam, he went blank, he didn't know what to write.*

2 sécher un cours

TO CUT CLASS, TO MISS, TO JUMP

*—Ce matin j'avais envie de regarder le tennis à la télé, j'**ai séché les cours**. • This morning I felt like watching tennis on TV so I cut class.*

séropo *n., adj., abrév.*

(séropositif, séropositive)

TO HAVE H.I.V., H.I.V-POSITIVE

shit *n. m., fam., angl.*

DOPE, HASH, RESIN

shoot *n. m., fam., angl.*

1 SHOOT (basketball)

2 TO SHOOT UP (drugs)

(se) shooter *v., fam., angl.*

TO SHOOT UP (drugs), TO BANG-UP

short *adj., fam., angl.*

CUTTING IT TIGHT, SHORT

*—T'as vu l'heure qu'il est ? Je sais pas si on sera à l'aéroport dans 20 minutes, c'est un peu **short**. • Have you seen the time ? I don't think we'll make it to the airport in 20 minutes, it's cutting it a little tight.*

siffler *v., fam.*

TO SUCK DOWN (a drink), TO DRINK QUICKLY

*—T'as pas **sifflé** la bouteille de champ' tout seul ? • You didn't suck down the bottle of champagne by yourself, did you?*

sniffer *v., angl.*

TO SNORT (drugs), TO SNIFF

*—Il paraît que Freud **sniffait** de la coke pour soulager les douleurs provoquées par son cancer. • I heard*

that Freud snorted coke to relieve the pain of cancer.

soutif *n. m., transfor.*
(soutien-gorge)
BRA, TIT-HOLDER

space *adj., fam., angl.*
WEIRD, UNUSUAL, QUIRKY, CRAZY
Pronounced as it is in English. Can apply to people, objects, things.

*—Il est **space** ce mec. Il dit qu'il est pacifiste mais il adore les films de guerre.* • *That guy's weird. He says he's a pacifist but loves war movies.*

speed
1 être speed *loc., fam., angl.*
TO BE IN A HURRY, TO RUSH, TO NERVY, TO STRESSED

2 speeder *v., fam., angl.*
TO STEP ON IT, CHOP-CHOP, TO SHAKE A TAILFEATHER, TO ACCELERATE

*—**Speede,** on va arriver en retard !* • *We should step on it, we're going to be late!*

squatter *v., fam., angl.*
1 TO SQUAT

*—Depuis un mois, y'a des keupons qui **squattent** la maison vide d'à côté.* • *Some crusties have been squatting in the house next door for the last month.*

2 TO HOG, TO MONOPOLIZE, TO BOGART

*—Depuis qu'elle a un mec, Léa **squatte** le téléphone de la maison tous les soirs.* • *Ever since she got a boyfriend, Léa has been hogging the phone every night.*

3 squatter *n. m., fam., angl.*
Also **squatteur**.
SQUATTER

stick *n. m., fam., angl.*
JOINT, SPLIFF

style *interj., fam.*
1 YEAH, RIGHT ! (iron.)

*—Tu veux me faire croire que tu sais skier, alors que t'es jamais sorti de ton quartier ? **Style** !* • *You want me to believe you know how to ski when you've never even been outside your own neighbourhood? Yeah, right!*

2 faire style *loc., fam.*
TO ACT AS IF

*—Il **fait style** le mec important, mais personne ne le calcule.* • *He acts as if he was somebody important but no one pays any attention.*

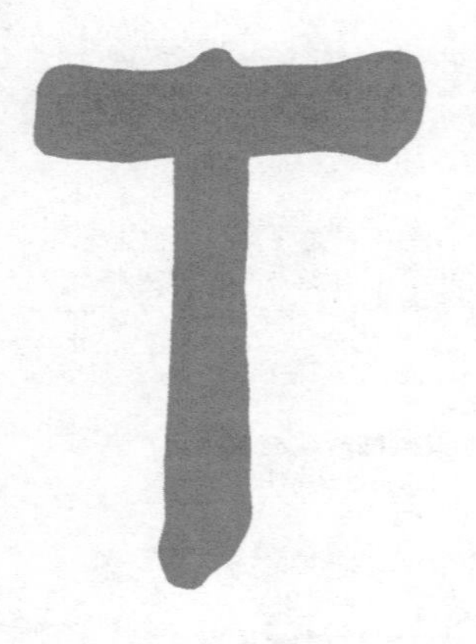

tache *n. f., adj., fam.*

IDIOT, LAME-O [USA], IMBÉCILE, ZERO, NOBODY

*—Quelle **tache** ! Il est même pas capable de reconnaître qu'il nous a menti.* • *What a lame-o! He can't even admit that he was lying to us.*

taf *n. m., arg.*

JOB, GIG, GRIND, WORK

*—Il est au chômedu. Il vient de perdre son **taf**.* • *He's on the dole. He's just lost his job.*

taffe *n. f., arg.*

DRAG, PUFF

*—Tu me laisses tirer une petite **taffe** sur ton tarpé ?* • *Can you give me a drag of your joint?*

'tain *interj., vulg., abrév.* (putain)

'KIN HELL! (fuckin' hell)

*—**'Tain.** T'aurais pu me prévenir avant de faire ça !* • *'kin hell.You could have warned me before doing that!*

taper *v., fam.*

1 TO BUM, TO BORROW, TO HIT UP, TO MOOCH [USA]

*—Il nous **a** encore **tapé** 50 euros. J'en ai marre, c'est la dernière fois que je lui prête de l'argent.* • *He just bummed another 50 Euros off of us. I'm sick of it, it's the last time I'm lending him money.*

2 TO HELP ONESELF

*—Vous pouvez **taper** dans le frigo, faites comme chez vous.* • *You can help yourselves to whatever is in the fridge, make yourselves at home.*

3 TO STEAL, LIFT, NICK

*—Tu te souviens de Stéphane ? Et ben, maintenant il **tape** des sacs à main dans le métro.* • *Do you remember Stéphane? Well now he steals from handbags on the subway.*

4 TO DIG, LIKE

*—Elles **tapent** mes Ray-ban, hein ?* • *They dig my Ray-bans, don't they?*

se taper *v. prnl., fam.*

1 TO PUT UP WITH, SIT THROUGH, TO DO AN

UNPLEASANT TASK

*—À chaque fois que je passe le week-end chez mon grand-père, je suis obligé de **me taper** tous les films de guerre.* • *Every time I spend the weekend at my grandad I have to put up with all of his war films.*

2 DOING, HAVE AN AFFAIR, HAVING SEX

*—Il **se tape** la voisine depuis cinq ans et le seul de l'immeuble qui le sait pas, c'est le mari.* • *He's been doing the neighbour for the last five years and the only one who doesn't seem to know about it is her husband.*

3 s'en taper *loc., fam.*

TO NOT GIVE A SHIT, TO NOT CARE, TO CARE LESS

*—On **s'en tape,** vas-y, appelle les flics !* • *We don't give a shit, go ahead and call the cops!*

tapin (faire le) *loc., fam.*

Also **tapiner**.

TO WALK THE STREETS, TO PROSTITUTE ONESELF

*—Elle **fait le tapin** depuis qu'elle a 16 ans. Pauv' gosse !* • *She's been streetwalking since she was 16. Poor girl!*

taré/e *n., adj., fam.*

NUT, CRAZY PERSON

tarpé *n. m., verlan*

(pétard)

SPLIFF, JOINT

*—Qu'est-ce qu'y a dans ton **tarpé** ? Du shit ?* • *What's in your spliff? Hash?*

taser *v., angl.*

TO BE TASERED, TO BE ATTACKED WITH A TASER GUN

taule *n. f., arg.*

PRISON, SLAMMER

taxer *v., fam.*

TO BUM

*—Je peux te **taxer** une clope ? Il m'en reste plus.* • *Can I bum a cigarette? I'm all out.*

tchatche *n. f., fam.*

1 SMOOTH TALK

2 tchatcher *v.*

TO CHAT SOMEONE UP

*—Léa, elle adore **tchatcher**. Une vraie concierge !* • *Léa loves to chat, she's a real gossip!*

téci *n. f., verlan*

(cité)

PUBLIC HOUSING PROJECTS

tèje *v., verlan*

(jeter)

TO REJECT, TO BLOW-OFF

—Quand Kamel m'a vu arriver avec deux heures de retard, il m'a

tèje. • *When Kamel saw me arrive two hours late, he told me to get lost.*

téloche *n.f., défor.*

(télévision)

TV, TELLY, BOOB TUBE

téma, tema *v., verlan*

(mater)

TO CHECK OUT, TO LOOK AT, TO WATCH

*—**Téma** la meuf, elle est canon !* • *Check out that chick, she's super hot.*

tepu *n.f., verlan*

(pute)

Also **teuhpu**.

SLUT, HO, WHORE, BITCH

terrible *adj., fam.*

AWESOME, INCREDIBLE

*—Il a été **terrible**, le concert d'hier soir, ça a été le meilleur de ma vie.* • *The concert last night was awesome, one of the best in my life.*

tête *n.f.*

1 se casser la tête *loc., fam.*

a DO ONE'S HEAD IN

*—**Te casse pas la tête**, on fera des sandwiches à midi.* • *Don't do your head in, we'll make sandwiches at lunch.*

b TO TROUBLE ONESELF, TO TAKE GREAT PAIN

2 se prendre la tête *loc., fam.*

TO ANNOY, DRIVE CRAZY, TO WORRY ABOUT SOMETHING

*—Elle **me prend la tête** avec son voyage qu'elle organise depuis six mois.* • *She's really annoying me with her trip that she's been organising for the last six months.*

teuchi *n. m., verlan*

(shit)

Also **teushi, teuch, teush**.

HASH, HASHISH, RESIN

teuf *n.f., verlan*

(fête)

PARTY

*—Tu vas à la **teuf** de Cédric demain ? Il a invité plein de monde.* • *Are you going to Cedric's party tomorrow? He's invited everybody.*

texto

1 *adv., abrév.*

(textuellement)

VERBATIM

2 *n. m.* SMS, TEXT MESSAGE

Texto is a term designating a typed message sent by mobile phone. The majority of adolescents (and a few adults) use this method of communication using a new coded laguage specific to quick messaging. They do this also so that their messages are too difficult to be decrypted by adults. The goal of texting is to shorten words (and therefore messages) as much as possible, to the limit of still being comprehensible. The abbreviation technique works as follows:

• For the most commonly used terms, write only the consonants, not the vowels:
salut ➔ *slt, bonjour* ➔ *bjr, toujours* ➔ *tjr*

• To write words phonetically, reducing them to consonants and numbers:
Je t'appelle dès que je peux. ➔ *jtapLDkejpe*
au ➔ o, de ➔ 2, C'est ➔ C, ph ➔ f, ai ➔ e/é
Qu'est-ce que tu fais aujourd'hui ? ➔ *kesktufé oj ?*

• To replace by a number words that sound the same:
Cet/cette ➔ *7, à demain* ➔ *a2m1, quoi de neuf ?* ➔ *koi2 9 ?*

• In the case where two numbers succeed one another, put a space between them so as to avoid misinterpretation:
À un de ces quatre ! ➔ *A1 2C4*

• A consonant sounding the same as another can serve as a replacement('k' instead of 'qu') in the interest of abbreviation.
quoi ➔ *koi* ➔ *qoi*

• Some frequently used expressions are turned into acronyms:
Mort de rire ➔ *mdr, s'il te plaît* ➔ *stp*

• To leave in a capital letter indicated that it is to be pronounced as the letter that it is rather than for the sound that it makes:
tarder ➔ *tarD, pressé* ➔ *préC*

• Some French words or expressions are substituted by phonetic transcritions of the English equivalents:
trop tard ➔ *2L8 (too late), avant* ➔ *B4 (before), laugh out loud ("laugh out loud")* ➔ *lol*

• Punctuation is done away with when the phrase is already clearly formulated as a question.
Qu'est-ce que c'est ? ➔ *keskeC*

thon *n. m., fam.*

DOG, BOOT, UGLY GIRL

—*Quel **thon** cette nana ! Elle a une gueule qui fait peur.* • *That woman is such a dog, it's scary!*

thune *n.f., arg.*
Also **tune**.
DOUGH, CASH (money)

ticket
avoir un ticket avec qqn
loc., fam.

TO HAVE CAUGHT SOMEONE'S EYE

—*Va lui parler, t'**as un ticket avec elle.*** • *Go over and talk to her, you've caught her eye.*

tire *n. f., arg.*

WHEELS (car)

tirer *v., fam.*

1 TO NICK, TO STEAL, TO SWIPE

*—Il a voulu **tirer** une caisse mais il y avait plus d'essence dans le réservoir. • He wanted to nick a car but it was out of gas.*

2 TO SPLIT, TO BLOW THIS JOINT

*—Viens, on **se tire**, elle est chiante cette fête. • C'mon, let's split, this party sucks.*

tkt *SMS et mails, abrév.*

(t'inquiète)

RELAX, NO WORRIES

top *adj., n., fam.*

THE BEST, THE GREATEST

*—Faire un jogging à la plage, c'est le **top**. • Having a jog on the beach is the best.*

toucher *v.*

1 toucher (sa bille) *loc., fam.*

TO BE A MASTER/AN EXPERT

*—Demande à Éric de t'aider à réparer ton ordi, il **touche** bien en informatique. • Eric can help you fix your computer. He's a real master.*

2 ne pas toucher une bille *loc., fam.*

TO BE A DISASTER, TO BE INCOMPETENT, TO SUCK

*—Je **touche pas une bille** en bricolage. Je fais toujours appel à des professionnels. • I'm a disaster at fixing things around the house, I always call professionals.*

tournante *n. f.*

GANG BANG, COLLECTIVE RAPE

*—C'est dégueulasse. Les connards qui font des **tournantes**, ils disent que c'est un jeu. • How awful! Assholes who participate in gang bangs and call it a game.*

toutou *n. m.*

POOCH, DOGGIE

*—Mate le **toutou** avec la grand-mère : ils ont la même coiffure. • Check out the pooch with the grandmother. They have the same hairdo.*

touze *n. f., abrév.*

(partouze)

ORGY

toxico *n., fam., abrév.*

(toxicomane)

JUNKIE, DRUG ADDICT

*—Sous le pont, c'est plein de **toxicos**. Personne ose plus aller se balader par là. • A ton of junkies hang out under the bridge. Nobody dares to walk around there anymore.*

tracer *v., fam.*

TO GET A MOVE ON,
TO SCARPER, TO GO FAST

—Je veux pas rater le dernier train, je ***trace****, ciao ! • I don't want to miss the last train, I need to get a move on, see ya!*

travelo *n., fam., abrév.* (travesti)

Also **trave, travelotte**.

DRAG QUEEN, TRANSVESTITE

—Dans ce cabaret, tous les artistes sont des ***travelos****. • In this club, all of the peformers are drag queens.*

trempe *n. f., fam.*

SMACK, WHACK

—Tu peux pas le laisser te foutre des ***trempes****. Faut que tu dénonces. • You can't keep letting him smack you around. You have to report it.*

trimer *v., fam.*

TO BUST ONE'S ASS, TO BREAK ONE'S BACK, TO WORK HARD

—On en a marre de ***trimer*** *12 heures par jour et de pas toucher d'heures sup. On va se mettre en grève. • We're sick and tired of busting our asses 12 hours a day and not getting any overtime. We're going to go on strike.*

trip *n. m., fam., angl.* [USA]

1 TRIP (hallucination brought on by drugs)

—Je savais pas que l'omelette était aux champignons hallucinogènes, je te raconte pas le ***trip*** *que je me suis tapé ! • I didn't know it was a magic mushroom omelette, I had the wildest trip!*

2 mon trip, ton trip, ...

MY THING, YOUR THING, ...

—La danse orientale, c'est pas ***mon trip****, je préfère le flamenco. • Oriental dancing isn't my thing. I prefer flamenco.*

tronche *n. f., fam.*

LOOK, FACE

—T'as vu la ***tronche*** *qu'il a faite quand on est arrivés ? • Did you see the look on his face when we arrived?*

trop *adj., fam.*

Adverb used as an adjective.

THE GREATEST, TOO MUCH

—Il est ***trop*** *ce mec, je crois que je vais tomber amoureuse ! • This guy's the greatest, I think I'm in love!*

trou *n. m.*

1 boire comme un trou

loc., fam.

TO DRINK LIKE A FISH

2 trou de balle *loc., fam.*

ASSHOLE [USA] , ARSEHOLE [UK]

—Ralph veut se spécialiser en proctologie. Il va voir des ***trous de balle*** *à longueur de journée. • Ralph wants to specialise in proctology. He'll be staring at assholes all day.*

vache

1 HARD, SEVERE, *adj., fam.*

*—Le prof il a été **vache** avec moi, il m'a foutu à la porte sans raison. • The teacher was hard on me, he threw me out for no reason.*

2 la vache *interj., fam.*

HOLY SHIT!

*—**La vache** ! T'as vu l'accident ? • Holy shit! Did you see the accident?*

valoche *n. f., fam., défor.*

(valise)

SUITCASE

*—Passe-moi ta **valoche**. Elle est trop lourde pour toi. • Hand me your suitcase. It's too heavy for you to carry.*

vanne *n. f., fam.*

1 WISECRACK, DIG

*—J'en ai marre des **vannes** de Jeannot. Il se croit marrant le pauvre. • I'm so sick of Jeannot's wisecracks. The poor sap thinks he's funny.*

2 vanner *v., fam.*

TO MAKE A NASTY CRACK, TO KNOCK, TO HAVE A DIG

vapes *n. f. pl., fam*

être dans les vapes, tomber dans les vapes *loc., fam.*

1 TO FAINT, TO PASS OUT

2 TO HAVE ONE'S HEAD IN THE CLOUDS

vas-y *interj.*

An interjection which expresses irritation…

WHATEVER, C'MON, THIS IS UNACCEPTABLE

*—**Vas-y**, j'en ai marre, on est le 5 du mois et j'ai toujours pas touché ma paye ! • Whatever, I'm sick of this, it's the 5th of the month and I still haven't gotten paid.*

vénère *adj., verlan*

(énervé)

PISSED OFF, WOUND UP

vent *n. m.*

1 mettre un vent *loc.*

TO BLOW OFF

—*J'ai essayé de lui parler mais elle m'a* ***mis un vent.*** • *I tried to talk to her but she blew me off.*

2 se prendre un vent *loc., fam.*
TO BE IGNORED,
TO GET BLOWN OFF

verlan *n. m., verlan*
(l'envers)
Form of French slang which involves the reversal of the syllables or letters in a word (a little like pig latin).
It came about after the Second World War and was more often used by immigrants but then quickly spread to the rest of the population. The most commonly used terms are: **tromé** (**métro**), **ripou** (**pourri**) and **meuf** (**femme**).

vert *adj.*
1 être vert/e *loc., fam.*
TO BE PISSED OFF

—*Quand Émilie m'a dit qu'elle ne venait pas,* ***j'étais vert.*** *J'étais déjà en train de l'attendre à l'aéroport.* • *When Emilie said that she wouldn't be coming I was pissed off I was already waiting for her at the airport.*

2 être vert de trouille, être vert de peur
TO BE SHITTING ONESELF,
TO BE AFRAID

se viander *v., fam.*
TO FALL DOWN, TO HAVE AN ACCIDENT, TO BREAK ONE'S NECK

—*Hier Didier* ***s'est viandé*** *à vélo. Aujourd'hui il est resté tranquille chez lui.* • *Didier fell off his bike yesterday. He's spending the day at home today.*

vioque *n., arg., défor.*
(vieux)
OLD TIMER

—*Tu vas pas mettre ça, c'est une robe de* ***vioque*** *!* • *You can't wear that dress, it's for old timers!*

virer *v., fam.*
TO FIRE, TO LAY OFF

—*Diane s'est fait* ***virer*** *de son boulot. Ils restructurent sa boîte.* • *Diane got fired from her job. They're restructuring the company.*

viser *v., fam.*
TO CHECK OUT

—***Vise*** *Fabien, il essaie de draguer la nouvelle.* • *Check out Fabien, he's trying to hit on the new girl.*

walou *adv., ar.*

ZIP, NADA

—Il t'en reste même pas un peu ? // Non, ***walou.*** *• Don't you have any left? // Nope, zip.*

à walpé *loc., verlan*

(à poil)

Also **à walp**.

IN ONE'S BIRTHDAY SUIT, STARK NAKED

—Attends, je t'ouvre dans une minute, je suis ***à walp****. • Hold on, I'll open up in just a minute, I'm in my birthday suit.*

wesh-wesh *n. m., fam.*

Also **ouèche-ouèche**, **ziva**.

A NATIVE OF THE POORER SUBURBS

yeuk *n. f., verlan*

(couille)

Also **yoc**.

BALLS

—Tu me casses les ***yeuks****, dégage ! • You are busting my balls, beat it!*

yeuve *adj., verlan*

(vieux)

FOLKS, OLD PERSON

—J'ai pas envie d'aller manger chez lui. Ils sont chiants ses ***yeuves****. • I don't feel like having dinner at his house, his folks are really boring.*

yeuz *n. m. pl., verlan*

(yeux)

With the article, **les**, produces the 's' liaison ("les yeux", pronounced "lèzieux").

EYERS, PEEPERS

zapper *v., angl.*

TO SKIP, TO NEGLECT

—La formation informatique, je l'ai ***zappée****. Le niveau était trop nul.* • *I skipped the computer training class. The level was too easy*

zarbi *adj., verlan*
(bizarre)

Also **zarb, zarbe.**

STRANGE, BIZARRE, ODD, LOOPY

—Il est ***zarbi*** *ce film !* • *This movie is really strange!*

zieuter *v., fam.*

Also **zyeuter**.

STARING, TO NOT BE ABLE TO TAKE ONE'S EYES OFF OF

—Arrête de ***zyeuter*** *le décolleté d'Hélène. Elle va t'en mettre une.* • *You better quit staring at Hélène's chest. She's going to slap you.*

zigouiller *v., fam.*

TO SLAUGHTER, TO TAKE OUT, TO MASSACRE

—Ça me fait chier, les jeux vidéo où faut ***zigouiller*** *tout le monde.* • *I hate those video games where you have to slaughter everyone.*

zizi *n. m., fam.*

PENIS, PECKER, DICKY, BANANA

zob *n. m., vulg., ar.*

Also **zobi.**

1 PENIS, DICK, TOOL

2 *interj.* DAMMIT! SCREW IT!

3 peau de zob *loc., fam.*

ZILCH, NOT A DAMN THING,

—J'ai compris ***peau de zob*** *à son bouquin.* • *I didn't understand zilch in his book.*

zonard/e *n., adj., fam.*

A HOMELESS, DOWN-AND-OUT DELINQUENT, HOOLIGAN, BE ON THE STREET

zone *n.f.*

1 SLUM AREA, SHANTY TOWN

2 zoner *v.*

TO LIVE A MARGINAL LIFE, TO BUM AROUND